令和7年版

4 不動産登記法Ⅱ 各論

はしがき

<本書のねらい>

資格試験における短期合格の鉄則は、試験の出題傾向に合致した学習をすることです。司法書士試験もその例外ではありません。その意味で本試験に過去出題された問題は、試験合格のための参考資料の宝の山といえます。合理的学習の第一歩として、頻出とされる知識を「繰り返し」学習することにより、その出題内容と内容の深さの程度や、出題傾向を把握することが重要となります。本書は今後出題されることが予想される重要な過去問を選び出し掲載することにより、「繰り返し」学習を効率的に行うことが可能となっています。

<本書の特長>

(1) 膨大な過去問から本当に必要な知識を厳選し、体系別又は条文順に配列し直して掲載しました。また解答を導き出すのに必要な知識を解説部分にコンパクトにまとめて掲載しました。

(2) 令和７年４月１日時点で施行が確実な法令に合わせて解説の改訂をしており、法改正により影響を受ける問題については、同日施行予定の法令で解けるよう過去問を編集し掲載しています。

(3) 問題ごとに過去問の番号を付しました。また、同系統の問題は代表的なものを掲載し、過去問の番号を連記しました。

(4) 左頁に問題を、右頁に解答・解説を掲載しているので、解いた問題をすばやくチェックできます。それにより、弱点を早く発見でき効率的な総復習に役立ちます。

(5) あらゆるところに持ち運びができ、通勤通学の電車の中など、コマギレの時間を有効活用できるよう、コンパクトなＢ６判で刊行しました。

<本書で学習するにあたって>

(1) 問題については、オンライン庁における「書面申請」(申請情報の全文又は一部を記録した電磁的記録媒体を除く。) を前提としています。解説については、原則として「書面申請」「オンライン申請」の双方を考慮していますが、「書面申請」のときのみ成立する肢については、それを前提とした解説となっています。なお、不動産登記法施行令附則第５条に規定する添付情報の提供方法に関する特例（特例方式）については問題文中に指定がある場合を除き、考慮しないものとしています。

⑵　登録免許税に関する問題は、租税特別措置法等の特例法による税の減免の規定の適用はないものとして解答してください。

⑶　問題文中に特に指示のない限り、本書中の株式会社（特例有限会社を除く。）については取締役会設置会社（取締役会を置く株式会社または会社法の規定により取締役会を置かなければならない株式会社）としています。

⑷　平成27年の商業登記法改正及び不動産登記令改正により、申請人が法人であるときは、原則として、申請情報と併せて、①会社法人等番号を有する法人にあっては、当該法人の会社法人等番号又は②①に規定する以外の法人にあっては、当該法人の代表者の資格を証する情報を提供しなければならない（不登令７Ⅰ①）とされました。国内の法人の大多数が会社法人等番号を有することから、本書では、問題文中に指定がある場合を除き、会社法人等番号を提供して申請するものとして解答してください。

⑸　本書では、問題文中に指定がある場合を除き、法定相続情報一覧図の写し又は法定相続情報番号を提供しないで申請するものとして解答してください。また、情報通信技術を活用した行政の推進等に関する法律（デジタル手続法）第11条に規定する添付書面等の省略については、考慮しないものとして解答してください。

なお、さらに実践力を磨きたい方には、ＬＥＣの「精撰答練」の利用をおすすめします。質の高い予想問題を解くことで、さらなるレベルアップを図ることができます。

司法書士試験合格を目指し勉学に励んでいる多くの方々が、本書を有効に活用することで１年でも早く合格されることを願います。

2024年７月吉日

株式会社　東京リーガルマインド
ＬＥＣ総合研究所　司法書士試験部

本書の効果的利用法

左ページ

問題

学習項目を表示。

5 抵当権抹消・更正

共同申請による抹消

時間のない直前期に絶対に押さえてほしい問題をマーキング！

043 □□□ 平2…

抵当権の登記名義人Ａ株式会社を消滅会社、…社とする吸収合併がされ、その後に、弁済により当該抵当権が消滅した。当該抵当権の登記の抹消を申請するときは、その前提として、当該合併を登記原因とするＡ株式会社からＢ株式会社への抵当権の移転の登記を申請しなければならない。

044 □□□ 平30-24-ア

抵当権の設定の登記がされている土地について、当該抵当権の登記名義人である株式会社Ａ銀行の代表者Ｂは、抵当権設定者Ｃと…支配人の登記がされていない株…た解除証書を提供して、当該抵…ができる。

本書は、択一式試験問題を各選択肢ごとに掲載し、過去の本試験の出題実績は下記のように表記しています（法改正等により、問題として成立しなくなったものについては掲載していません）。
【例】平26-20-オ → 平成26年本試験において、問20のオ肢として出題。

平26-20-オ

…記名義人Ａが死亡した後に当該…当該抵当権の設定の登記の抹消…てＡの相続人への所有権の移転の登記を申請しなければならない。

046 □□□ 平14-16-エ

債務の弁済により抵当権が消滅した後、抵当権設定登記が抹消されない間に抵当権者が死亡した場合、所有権の登記名義人は、抵当権者の相続人のうちの１名と共同して抵当権設定登記の抹消を

「正解チェック欄」をつけました。直前期の総復習に、有効活用してください。

令和７年版　司法書士合格ゾーンポケット判択一過去問肢集
4 不動産登記法Ⅱ

右ページ

解答・解説

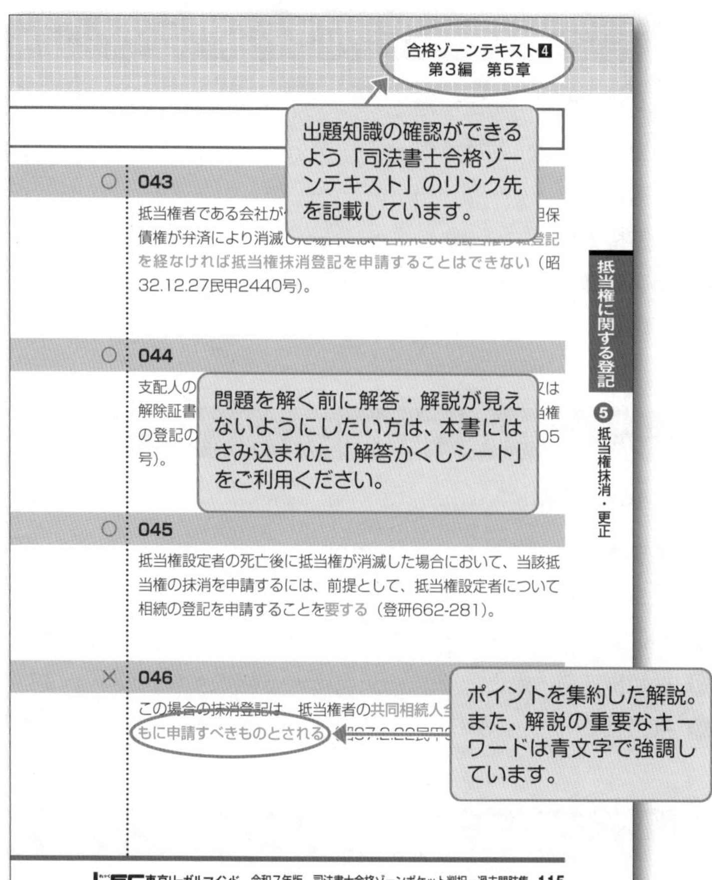
合格ゾーンテキスト4
第3編　第5章
出題知識の確認ができるよう「司法書士合格ゾーンテキスト」のリンク先を記載しています。
○ 043
抵当権者である会社が
債権が弁済により消滅
を経なければ抵当権抹消登記を申請することはできない（昭32.12.27民甲2440号）。
○ 044
支配人の
解除証書
の登記の
号）。
問題を解く前に解答・解説が見えないようにしたい方は、本書にはさみ込まれた「解答かくしシート」をご利用ください。
○ 045
抵当権設定者の死亡後に抵当権が消滅した場合において、当該抵当権の抹消を申請するには、前提として、抵当権設定者について相続の登記を申請することを要する（登研662-281）。
× 046
この場合の抹消登記は、抵当権者の共同相続人全
もに申請すべきものとされる
ポイントを集約した解説。また、解説の重要なキーワードは青文字で強調しています。
抵当権に関する登記
5 抵当権抹消・更正
LEC東京リーガルマインド　令和7年版　司法書士合格ゾーンポケット判択一過去問題集　115
4 不動産登記法Ⅱ

CONTENTS

第5編　仮登記に関する登記

第6編　登記名義人表示変更登記

第7編　用益権に関する登記

第8編　その他の登記

第2編

所有権に関する登記

1 所有権移転① 特定承継

売買に関する登記

001 □□□ 平18-13-2

平成18年3月1日に離婚の届出をしたAとBとの間で、同月15日に、A所有の乙不動産をBへ譲渡することを内容とする財産分与の協議が成立した場合には、「平成18年3月1日財産分与」を登記原因及びその日付として、乙不動産についてAからBへの所有権の移転の登記を申請することができる。

002 □□□ 平30-21-エ

甲土地の所有権の登記名義人であるAが死亡し、Aに配偶者B並びに子C及びDがいるときにおいて、B、C及びDが限定承認をする旨の申述を受理する審判がされ、Cが相続財産の清算人に選任されている場合において、Cが家庭裁判所の許可を得てEに対して甲土地を売却したときは、Cは、B及びDの委任がなくとも、その代理人として、売買を登記原因とする所有権の移転の登記を申請することができる。

003 □□□ 平21-21-イ

不動産の共有者が共有物分割禁止の契約をした場合には、保存行為として、各共有者が単独で、共有物分割禁止の定めに係る所有権の変更の登記を申請することができる。

004 □□□ 平21-21-ウ

Aを所有権の登記名義人とする不動産について、その所有権の一部をB及びCへと移転する所有権の一部移転の登記を申請するときは、当該登記と一の申請により、共有物分割禁止の定めの登記を申請することができる。

× **001**

離婚の届出をしたAとBとの間で、その届出後にA所有の不動産をBへ譲渡することを内容とする財産分与の協議が成立した場合には、登記原因を「財産分与」、登記原因日付を「財産分与に関する協議の成立した日」として所有権移転登記をする。

× **002**

限定承認の場合における相続財産の清算人から、相続人を代理してする相続財産の売買を原因とする所有権の移転の登記の申請はすることができない（登研591-191）。

× **003**

共有物分割禁止の定めに係る権利の変更の登記は、共有者全員を登記権利者兼登記義務者として申請しなければならない（65）。

○ **004**

所有権の一部移転の登記を申請する場合において、登記原因に共有物分割禁止の定めが存在するときは、当該一部移転の登記の申請と併せて一の申請により、共有物分割禁止の定めの登記を申請することができる（不登令3⑪ニ）。

005 □□□ 平28-19-ウ

A及びBが所有権の登記名義人である甲土地について、AとBが10年間共有物分割を禁止する旨の定めをし、当該定めを追加する旨の所有権の変更の登記を申請することができる。

006 □□□ 平29-19-オ

甲不動産の所有権の登記名義人Aに相続が生じた場合に、Aには子B、C及びDがおり、Aの相続開始後Cが相続を放棄したが、Aが生前に甲不動産をEに売却していた場合において、売買を登記原因としてAからEへの所有権の移転の登記を申請するときは、B、C、D及びEが共同してしなければならない。

共有物分割

007 □□□ 平10-24-オ（平2-23-5、平7-25-ウ）

A所有名義の不動産が、実体上はA・Bの共有である場合において、A・B間で当該不動産をBが単独で所有する旨の共有物分割の協議が調ったときは、これを原因とする所有権移転登記の申請をすることができる。

008 □□□ 平28-19-イ

A及びBが所有権の登記名義人である甲土地をAの単独所有とし、その代わりにAが所有権の登記名義人である乙土地をBの所有とする旨の共有物分割の協議に基づき、乙土地について共有物分割を登記原因として所有権の移転の登記を申請することができる。

× **005**

５年を超える不分割の期間を定めた場合、当該契約は無効であり、その効力を有しないため、不分割期間が５年を超える共有物不分割特約の登記の申請は受理されない（昭30.6.10民甲1161号）。なお、５年間を超える共有物分割禁止の特約を、５年間に引き直して登記することもできない。

× **006**

相続の放棄をした者は、その相続に関しては、初めから相続人とならなかったものとみなされるため（民939）、登記の申請義務は負わない（昭34.9.15民甲2067号）。したがって、Ｃは登記申請義務を負わず、Ｂ、ＤがＥと共同して申請することとなる。

× **007**

実体上共有不動産であるとしても、単有名義から共有名義への更正の登記をしない限り、「共有物分割」を登記原因として所有権移転の登記の申請はできない（昭53.10.27民三5940号）。

× **008**

Ａ及びＢ共有の不動産について共有物分割の協議がされ、不動産のＢ持分全部をＡが取得して所有し、その価格賠償として持分を失ったＢにＡが所有している不動産を交換した場合、当該登記を申請する際の登記原因は、「共有物分割による交換」となる。

009 □□□ 令5-18-ア

A及びBが所有権の登記名義人である甲土地をAが単独で取得し、Aが所有権の登記名義人である乙土地をBが単独で取得する共有物分割の協議により甲土地の登記を申請する場合の登記原因は、共有物分割による交換である。

010 □□□ 平21-21-ア

A及びBが共有する甲土地及び乙土地について、共有物分割によりAは甲土地をBは乙土地をそれぞれ単有とする持分の移転の登記は、甲土地及び乙土地について同時に申請しなければならない。

011 □□□ 平28-19-ア

A及びBが所有権の登記名義人で持分が各2分の1である甲土地及び乙土地について、甲土地につきAの単独所有、乙土地につきA持分4分の1、B持分4分の3とする共有物分割を登記原因とする持分移転の登記を申請することができる。

共有持分放棄

012 □□□ 平27-26-ウ（平6-24-ウ、平22-22-キ）

A及びBを所有権の登記名義人とする甲土地について、Aが死亡したが、相続人のあることが明らかでないため、Aの持分につき、Aの相続財産法人名義とする所有権の登記名義人の氏名の変更の登記がされている場合において、Bが持分を放棄したときは、Aの相続財産清算人は、単独でBからAの相続財産法人へのBの持分の移転の登記を申請することができる。

× **009**

A及びBの共有に属する土地についてのBの持分全部をAが買い取った、又はその持分の価格賠償をして当該持分を取得した場合には、BからAへ登記原因を共有物分割として、持分全部の移転の登記をすることができる（昭36.1.17民甲106号）。

× **010**

共有である各土地を、共有物分割により各共有者の単独所有とする場合、単独所有者となる共有者に他の共有者の持分を移転させる方法によることになるが、当該各申請を同時に申請すべき旨の規定はない（昭36.1.17民甲106号参照）。

○ **011**

A及びBが同じ割合で共有している2筆の土地について、そのうちの1筆をAの単独所有とし、他の1筆を元の持分と異なる持分でA及びBの共有とする旨の分割協議がされた場合、その登記原因を「共有物分割」とする所有権の持分移転の登記の申請は受理される（昭44.4.7民三426号）。

× **012**

共有持分の放棄は、相手方のない単独行為ではあるが、当該放棄をした者と他の共有者によって共同申請によってすることを要する（登研86-40）。

013 □□□ 平31-15-ウ

Aが死亡し、その相続人のあることが明らかでない場合において、B及び亡Aの相続財産法人を所有権の登記名義人とする甲土地について、Bが共有持分の全部を放棄したときは、亡Aの相続財産法人を登記権利者、Bを登記義務者としてBから亡Aの相続財産法人への持分の全部移転の登記を申請することができる。

014 □□□ 平21-21-オ（平3-30-3、平10-24-ア、平28-19-オ、令5-18-ウ）

A及びBを所有権の登記名義人とする不動産について、持分の放棄を登記原因として、Aの持分をCへと移転する持分の一部移転の登記を申請することはできない。

015 □□□ 平19-27-イ（平28-19-エ）

A、B及びCの共有に属する不動産について、Aの持分放棄によりB及びCに帰属した持分のうち、Bに帰属したものについてのみAからBへの持分移転の登記がされている場合には、Aの放棄した残余の持分につきAから第三者Dに譲渡がされても、Dを権利者とする持分移転の登記を申請することはできない。

016 □□□ 平19-27-ア

A、B及びCの共有に属する不動産について、Aのみが持分放棄をしたときに持分放棄を原因とするBに対するA持分全部移転の登記を申請することはできない。

○ **013**

B及び亡Aの相続財産法人を所有権の登記名義人とする甲土地について、Bが共有持分の全部を放棄したときは、亡Aの相続財産法人を登記権利者、Bを登記義務者として持分の全部の移転の登記を申請することができる（昭31.6.25民甲1444号）。

○ **014**

登記記録上共有者でない者に対する持分放棄を原因とする持分一部の移転の登記は、申請情報の内容である登記原因と登記記録が合致しないものとして却下される（昭60.12.2民三5441号）。

× **015**

A、B及びCの共有に属する不動産について、Aの持分放棄によりB及びCに帰属した持分のうち、Bに帰属したものについてのみAからBへの持分移転登記がされている場合に、Aが放棄した持分のうち、Cに帰属すべき持分につきAから第三者Dに譲渡がされたときは、Dを権利者とする持分移転の登記を申請することができる（昭44.5.29民甲1134号）。

○ **016**

共有者の1人がその持分を放棄したときは、その持分は他の共有者にその持分の割合に応じて帰属する（民255・共有持分の弾力性）。

017 □□□ 平19-27-オ

A、B及びCの共有に属する不動産について、Aの持分放棄を原因とするB及びCに対するA持分全部移転の登記の申請は、共有者の一人であるBと登記義務者であるAとが共同してすることができる。

委任の終了

018 □□□ 平26-20-ウ

権利能力のない社団の構成員全員に総有的に帰属する甲土地について、当該社団の代表者であるAが個人名義でその所有権の登記名義人となっていた場合において、Aが死亡した後に当該社団の新たな代表者としてBが就任し、Bを登記権利者とする委任の終了による所有権の移転の登記を申請するときは、その前提としてAの相続人への所有権の移転の登記を申請しなければならない。

019 □□□ 平31-16-ウ

権利能力なき社団であるA社団の構成員全員に総有的に帰属する甲土地について、A社団の代表者であったBが死亡し新代表者としてCが選任されたが、甲土地の所有権の登記名義人がBのままであった場合において、CがA社団を代表して甲土地をDに売却したときは、売買を登記原因としてBからDへの所有権の移転の登記を申請することができる。

× **017**

A、B及びCの共有に属する不動産について、Aの持分放棄を原因とするB及びCに対するA持分全部移転の登記の申請は、共有者の一人であるBと登記義務者であるAとが共同してすることはできない（登研577-154）。

× **018**

権利能力なき社団の資産は、その構成員全員に総有的に帰属する（最判昭39.10.15）。そのため、権利能力なき社団所有の不動産について、所有権登記名義人である代表者が死亡した場合においても、総有財産を一個人の財産とするような相続を原因とする所有権移転登記を申請することはできない（登研239-75）。

× **019**

権利能力なき社団の代表者（故人）を所有権の登記名義人とする不動産を、当該社団が第三者に売却した場合、第三者への売買を登記原因とする所有権の移転の登記を申請するには、前提として、権利能力なき社団の現在の代表者に所有権の移転の登記を申請しなければならない（平2.3.28民三1147号）。

020 □□□ 平31-16-ア

権利能力なき社団であるＡ社団の構成員全員に総有的に帰属する甲土地について、その所有権の登記名義人がＡ社団の代表者であるＢであったところ、ＣがＡ社団の代表者として追加で選任されたためＢからＣへの所有権の一部移転の登記がされたが、その後Ｃが代表者を辞任した場合には、委任の終了を登記原因として当該ＢからＣへの所有権の一部移転の登記の抹消を申請することができる。

真正な登記名義の回復

021 □□□ 平18-13-3

真正な登記名義の回復を登記原因として、既に死亡している者に対する所有権の移転の登記を申請することはできない。

時効取得

022 □□□ 平18-13-4

丙不動産について、平成18年５月１日にＡの取得時効が完成し、同月15日にＡがこれを援用した場合には、「平成18年５月１日時効取得」を登記原因及びその日付として、丙不動産について所有権の移転の登記を申請することができる。

× **020**

権利能力なき社団の代表者数名の名義で登記がされている不動産について、当該代表者のうちの１名の単独名義とする旨の登記は、委任の終了を登記原因として持分の移転の登記を申請することになる（昭41.4.18民甲1126号参照）。

× **021**

真正な登記名義の回復を登記原因として、既に死亡している者に対する所有権移転登記の申請をすることができると解される（登研93-47参照）。

× **022**

時効の効力は、その起算日にさかのぼる（民144）ことから、不動産を時効取得した場合の原因日付は時効完成の日ではなく、その起算日（占有開始日）とされている。

023 □□□　平26-20-イ（平16-23-イ、令5-19-ウ）

Aが所有権の登記名義人である甲土地について、Bが占有を開始した時より前にAが死亡していた場合において、甲土地についてのBの取得時効が完成したとしてBを登記権利者とする時効取得による所有権の移転の登記を申請するときは、その前提としてAの相続人への所有権の移転の登記を申請しなければならない。

024 □□□　平16-23-ウ（令5-19-オ）

時効の完成後に贈与を原因とする所有権移転の登記がされている場合には、占有者は、現在の所有権登記名義人と共同で時効取得を原因とする所有権移転の登記を申請することができる。

025 □□□　平16-23-エ（令5-19-ア）

時効の起算日後に出生した者が時効の完成前に占有者を相続した場合には、自らの出生日前の日付の時効取得を原因とする所有権移転の登記を申請することができる。

026 □□□　平16-23-オ

A及びBの共有の登記がされている不動産について、Cは、Aの持分のみについて、時効取得を原因とするA持分全部移転の登記を申請することができる。

027 □□□　平6-26-イ

地上権の登記がある土地について、時効取得を原因とする所有権移転の登記をする場合には、地上権の登記は職権で抹消される。

○ **023**

時効の起算日前に所有権の登記名義人が死亡していた場合には、時効取得を原因とする所有権移転の登記の前提として、所有権の登記名義人から相続人への相続を原因とする所有権移転の登記がされていることが必要である（登研455-89）。

× **024**

時効の完成後に贈与を原因とする所有権移転の登記がされている場合には、占有者は、現在の所有権登記名義人と共同で時効取得を原因とする所有権移転の登記を申請することはできない（昭57.4.28民三2986号）。

○ **025**

時効取得による所有権移転の登記を申請する場合において、当該登記の原因日付は権利者の出生前の日付であっても差し支えない（登研603-136）。

○ **026**

A及びBの共有の登記がされている不動産について、Cは、Aの持分のみについて、時効取得を原因とするA持分全部移転の登記を申請することができる（登研397-83・547-145）。

× **027**

取得時効による登記は所有権移転の登記であり（明44.6.22民414号、未登記不動産なら保存登記）、地上権の登記を登記官が職権抹消する旨の規定もないので当事者が申請により抹消することとなる。

その他の登記原因

028 □□□ 令3-18-ウ

AからBへの譲渡担保を原因とする所有権の移転の登記がされている場合において、AとBとの間で当該譲渡担保契約が解除されたときは、AとBは、「譲渡担保契約解除」を登記原因とするBからAへの所有権の移転の登記を申請することができる。

029 □□□ 平3-22-3（平20-15-オ）

株式会社の設立に際しての現物出資による所有権移転登記を申請する場合は、登記原因は「現物出資」であり、その日付は発起人組合に現物出資の給付のされた日である。

030 □□□ 平15-16-オ

株式会社の新設分割により分割をする会社が第三者に当該不動産を譲渡した後に会社分割が行われた場合、設立会社から当該第三者への所有権移転登記は、会社分割による所有権移転登記を経た後であれば、申請することができる。

031 □□□ 平20-14-オ

吸収分割がされた場合において、会社分割を登記原因とする承継会社への所有権の移転の登記をする場合、分割会社の登記識別情報を提供しなければならない。

○ **028**

AからBへの譲渡担保を原因とする所有権の移転の登記がされている場合において、当該譲渡担保契約が解除されたときは、AとBは、「譲渡担保契約解除」を登記原因とするBからAへの所有権の移転の登記を申請することができる。

○ **029**

株式会社に不動産を現物出資することによる所有権移転登記の原因日付は、設立に際しての現物出資の場合、発起人組合に対して不動産を給付した日とされている。

× **030**

新設分割は、新設分割の登記が効力要件（会社764）であるため、新設分割の登記前に新設分割会社から第三者へ不動産の譲渡が行われた場合、新設分割設立会社は当該不動産を承継することはなく、会社分割による所有権移転登記を経た後であっても当該第三者へ所有権移転の登記を申請することはできない。

○ **031**

共同申請となる会社分割による権利移転登記は、登記義務者の登記識別情報を提供しなければならない（22）。

032 □□□ 平26-18-オ

ＡからＢへの譲渡担保を登記原因とする所有権の移転の登記がされている場合において、ＡとＢとの間でその譲渡担保契約が解除されたときは、ＡとＢは、譲渡担保契約の解除を登記原因として、当該所有権の移転の登記の抹消を申請することができる。

判決による登記

033 □□□ 平元-20-1（平10-18-イ）

登記申請手続をする旨の記載のある公正証書に基づき、登記権利者は、単独でその登記を申請することができる。

034 □□□ 平30-12-ア

内縁関係を解消した一方当事者が他方当事者に対して財産分与を原因とする土地の所有権の移転の登記手続を命ずる確定判決の正本を提供して申請する、財産分与を登記原因とする当該所有権の移転の登記は、登記をすることができない。

035 □□□ 平20-20-エ

抵当権付債権について、転付命令若しくは譲渡命令が確定したとき、又は売却命令による売却が終了したときは、転付債権者若しくは差押債権者又は買受人は、抵当権の移転の登記の申請を単独ですることができる。

○ **032**

AからBへの譲渡担保を登記原因とする所有権移転の登記がされた後、当該譲渡担保契約が解除された場合、当該不動産をA名義にするには、Aへの所有権移転の登記を申請することも、B名義の所有権移転の登記の抹消を申請することもできる（登研342-77）。

× **033**

登記手続に関する執行認諾条項のある公正証書をもって確定判決と同一の効力を有するものとすることはできない。

× **034**

内縁関係を解消した一方当事者が、他方当事者に対し、確定判決を得た場合、当該判決に基づき所有権の移転の登記を申請するときは、登記原因を「財産分与」とすることができる（昭47.10.20民三559号）。

× **035**

登記された抵当権によって担保される債権について、転付命令若しくは譲渡命令が確定したとき、又は売却命令による売却が終了したときは、申立てにより、抵当権の移転の登記を嘱託しなければならない（民執164）。

036 □□□　平9-13-ア

所有権移転請求権保全の仮登記手続を命ずる判決を得たときは、原告は、その判決の確定前であっても執行文を得ることなく、単独でその仮登記の申請をすることができる。

037 □□□　平7-14-1（平3-29-オ）

農業委員会の許可を条件として所有権の移転の登記手続をするよう命ずる判決に基づいて登記権利者が単独で登記を申請する場合には、申請書に農業委員会の許可書を添付しなければならない。

× **036**

登記義務者の意思表示の擬制の効力は、原則として判決確定の時に生ずる（民執177Ⅰ）。したがって、判決が確定していなければ63条1項により登記申請をすることはできない。

× **037**

農地法所定の許可が到達した場合、これを裁判所書記官に提示し執行文の付与を受け（民執27Ⅰ）、執行文付きの判決正本を申請情報と併せて提供することとなる（昭40.6.19民甲1120号参照）ため、その時点で許可の有無は確認され、あえて許可を証する情報を提供する必要はない。

包括承継

038 □□□ 平7-15-イ

被相続人Aの共同相続人であるB・C間でAが所有していた特定の不動産をBが単独で相続する旨の遺産分割協議が成立した場合において、B単独所有名義の登記をするには、あらかじめ法定相続分による、B・C共有名義の相続による所有権移転の登記を申請しなければならない。

039 □□□ 平7-15-エ

被相続人Aが死亡し、Aに配偶者であるBと嫡出子であるCがある場合、B持分４分の１、C持分４分の３とする相続による所有権の移転の登記申請は、B持分を４分の１、C持分を４分の３と指定する遺言公正証書の謄本を申請書に添付してする場合であっても、Cは、単独で、申請することはできない。

040 □□□ 平12-23-エ

甲土地の所有者Aが死亡し、Aの相続人が子B・Cである場合、B・C間で、B持分４分の３・C持分４の１とする遺産分割協議が成立した場合、Bは、相続を原因とする所有権一部移転の登記を申請することができる。

041 □□□ 平3-27-4（平4-25-2、平8-16-イ）

共同相続人のうち、相続開始後に死亡した者があった場合、その者に相続人がないときは、死亡した相続人に帰属すべき持分は、直ちに他の相続人に帰属するものとして生存相続人のみで相続の登記を申請することができる。

× **038**

遺産分割は、相続開始の時にさかのぼって効力を生ずるので（民909本文）、Bは直接、相続を原因として、B単独名義に所有権移転の登記を申請することができる（63Ⅱ、昭19.10.19民甲692号）。

× **039**

被相続人は、遺言をもって法定相続分の割合と異なった割合を定めることができる（民902）。また、共同相続人のうちの一人が保存行為として相続人全員のために相続登記を申請することができる（民252Ⅴ）。

× **040**

被相続人の遺産である不動産を共同相続人が相続した場合、共同相続人中の一人だけの持分について相続登記の申請をすることはできない（昭30.10.15民甲2216号）。

× **041**

共同相続人のうち、相続開始後に死亡した者に相続人がないときでも、いったん共同相続人全員名義で相続登記を申請する必要がある。

042 □□□ 令4-21-ア改題（平28-24-ア）

甲不動産の所有権の登記名義人であるＡ（平成25年４月１日死亡）の相続人がＢ及びＣであり、Ａの遺産の分割がされず、かつ、甲不動産について相続を原因とする所有権の移転の登記がされないまま、Ｂが死亡し、その相続人がＣのみである場合には、Ｃは、甲不動産について「平成25年４月１日相続」を登記原因とするＡからＣへの所有権の移転の登記を申請することができる。

043 □□□ 平9-22-ア

甲土地の所有権の登記名義人Ａが死亡し、Ｂ及びＣが相続人となった場合において、Ａが生前に農地である甲土地をＤに売り渡し、農地法所定の許可を受けた後に死亡した場合におけるＤへの所有権移転登記は、その登記を申請する前提としてＢ及びＣの相続の登記を経由することを要する。

044 □□□ 平28-12-イ

甲土地の所有権の登記名義人Ａの相続人が配偶者Ｂ並びに子Ｃ及びＤの３名であり、遺産分割協議をしない間にＢが死亡した場合において、Ｂの相続人がＣ及びＤの２名であり、ＣＤ間で甲土地はＣが単独で取得する旨のＡを被相続人とする遺産分割協議が成立したときは、Ｃは、単独でＡからＣへの相続を登記原因とする甲土地の所有権の移転の登記を申請することができる。

× **042**

数次相続が生じた場合において、中間の相続が単独相続であるときは、所有権の登記名義人から最終の相続人へ直接、相続による所有権の移転の登記を申請することができる（登研758-171）。したがって、直接AからCへの相続による所有権の移転の登記を申請することはできない。

× **043**

農地の売買について、農地法所定の許可後に売主が死亡した場合は、既に売主の死亡前に売買の効力が生じ、所有権が移転しているので、売主の相続人に所有権は移転しない。

○ **044**

甲土地の所有権の登記名義人Aが死亡し、その共同相続人B、C及びDが遺産分割協議をしない間にBが死亡した場合、Bの相続人であるC及びDは、Bが生前有していた被相続人Aの相続人の地位（Aの相続財産につき遺産分割協議をし得る地位）をも承継するから、甲土地をCが単独で取得する旨の遺産分割協議は有効に成立し、Cは、単独でAからCへの相続を登記原因とする甲土地の所有権の移転の登記を申請することができる（昭29.5.22民甲1037号）。

045 □□□ 平19-13-ア

被相続人Aから子B及び子Cへの相続を原因とする所有権の移転の登記がされたが、相続人となることができない欠格事由がCにあった場合において、CにAの直系卑属である子Dがいるときは、Dを登記権利者、Cを登記義務者として、登記名義人をB及びDとする所有権の更正の登記を申請することができる。

046 □□□ 平29-19-エ

甲不動産の所有権の登記名義人Aに相続が生じた場合に、Bは、Aの唯一の相続人として、配偶者及び妹としての相続人の資格を併有していたが、配偶者としては相続を放棄し、妹としては相続を放棄しなかった場合において、Bは、その旨を明らかにした添付情報を提供して、相続を登記原因とするAからBへの所有権の移転の登記を申請することができる。

047 □□□ 平19-13-イ（平27-25-1）

遺産分割協議後に認知された子があった場合において、当該遺産分割協議に基づく所有権の移転の登記を申請するときは、認知された子の同意を証する情報を提供しなければならない。

○ **045**

相続開始当時、相続権を喪失していた者を加えて相続登記がされた場合においては、当該相続による所有権の移転の登記の**更正を申請する**。相続欠格は代襲相続の原因となるため（民887Ⅱ本文・891）、Aの直系卑属であるCの子Dは、Cを代襲して被相続人Aの相続人となる。

○ **046**

相続人の資格を併有する者の相続の放棄は、いずれの相続人の資格にも及ぶものとして取り扱われるところ（昭32.1.10民甲61号、昭41.2.21民三172号）、特定の相続人の資格をもって相続の放棄をしたことが添付情報から明らかである場合には、当該特定の相続人の資格をもってのみ相続の放棄をしたものとして取り扱われる（登研820-95）。そのため、当該登記の申請は**受理される**（平27.9.2民二362号）。

× **047**

相続開始後認知によって相続人となった者が遺産の分割を請求する前に、既に遺産分割協議が終わっていた場合には、当該協議に基づく所有権の移転の登記を申請することができる（民910参照）。この場合、認知された子の同意を証するその者が作成した情報又はその者に対抗することができる裁判があったことを証する情報を**提供する必要はない**（昭43.7.11民甲2346号参照）。

048 ☐☐☐ 平19-13-オ

Ａが死亡し、その共同相続人であるＢ及びＣが不動産の共有者となったが、その旨の登記をする前にＢが当該不動産についての持分を放棄した場合には、ＡからＢ及びＣへの相続を原因とする所有権の移転の登記を申請した後、ＢからＣへの持分全部移転の登記を申請することを要する。

049 ☐☐☐ 平29-19-ア（令3-19-オ）

甲不動産の所有権の登記名義人Ａに相続が生じた場合に、Ａには配偶者Ｂ、子Ｃ及び胎児Ｄがおり、Ａの相続人間でされた協議によりＤが甲不動産を取得する旨を定めた場合には、Ｄの出生前であっても、相続を登記原因とするＡからＤへの所有権の移転の登記を申請することができる。

050 ☐☐☐ 平29-19-ウ

甲不動産の所有権の登記名義人Ａに相続が生じた場合に、Ａには子Ｂ及びＣ並びに妹Ｄがおり、Ａの生前にＤがＡの財産の維持について特別の寄与をした場合において、Ｂ、Ｃ及びＤによりＤが甲不動産の所有権を取得する旨の協議が成立したときは、相続を登記原因とするＡからＤへの所有権の移転の登記を申請することができる。

051 ☐☐☐ 平4-25-4（平3-19-4）

Ａ・Ｂ両名のために共同相続が開始したが、Ａは特別受益者であったところ、その後Ａは死亡し、Ｃ及びＤが相続した場合において、ＢはＣ又はＤの一方のみが作成したＡは相続分がない旨の証明書を添付して相続の登記を申請することができる。

○ **048**

相続登記未了のうちに相続人の一人が相続により取得した不動産の共有持分を放棄した場合、実体的には相続による所有権の移転があった後に、他の相続人へ共有物の持分放棄による持分の移転が生じていることになる（民255）。したがって、まずAからB及びCへの相続を原因とする所有権の移転登記を申請した後、BからCへの持分全部移転の登記を申請することを要する。

× **049**

胎児の出生前においては、相続関係が未確定の状態にあるので、胎児のために遺産分割その他の処分行為をすることはできない（昭29.6.15民甲1188号）。

× **050**

被相続人Aの相続人は子B及びCであり（民900①・④）、妹Dは相続人にならないため、相続を登記原因とするAからDへの所有権の移転の登記の申請をすることができない。

× **051**

特別受益者死亡後に作成する同人の相続分がない旨の証明書は、当該特別受益者の相続人全員の証明を要する（登研473-149）。

052 □□□　令3-19-エ

被相続人Ａの相続人がＢ及びＣである場合において、Ａが所有権の登記名義人である土地について、その地目が墓地であるときは、Ｂは、当該土地をＢが取得する旨の遺産分割協議の結果に基づいて、単独でＡからＢへの相続を登記原因とする所有権の移転の登記を申請することはできない。

053 □□□　平29-12-ア（平16-17-イ）

Ａが甲区３番及び甲区４番でそれぞれ所有権の持分を２分の１ずつ取得し、Ａを所有権の登記名義人とする建物について、甲区３番で登記された持分のみを目的とする抵当権の設定の登記がされている場合において、Ａが死亡したことにより相続を登記原因とするＡの持分の全部の移転の登記を申請するときは、一の申請情報でしなければならない。

054 □□□　平22-25-1

共同相続人がＢ及びＣの二人である被相続人Ａ名義の不動産について、Ｂは、ＣがＡからＣの相続分を超える価額の遺贈を受けたことを証する情報を提供したときは、相続を登記原因として、直接自己を登記名義人とする所有権の移転の登記を申請することができる。

055 □□□　平12-23-ア

甲土地の所有者Ａが死亡し、Ａの相続人が子Ｂ・Ｃである場合、ＡがＤに対して甲土地の持分２分の１を遺贈する旨の公正証書遺言を残していた場合、Ｄへの遺贈の登記が完了していなくても、Ｂ・Ｃは、相続を原因とする所有権一部移転の登記を申請することができる。

× **052**

墳墓地につき、共同相続人の遺産分割協議により、そのうちの一人が取得する又は相続すると定め、その協議書を添付して、相続を原因とする所有権の移転の登記の申請があった場合には、受理して差し支えない（昭35.5.19民甲1130号）。

○ **053**

所有権の登記名義人が何度かに分けて持分を取得し、ある持分についてのみ抵当権の設定の登記がされている場合であっても、相続を登記原因とする所有権の移転の登記をするときは、一の申請情報でしなければならない（昭30.10.15民甲2216号）。

○ **054**

共同相続人B及びCのうち、Cが被相続人Aから特別受益を受けた場合、その他の相続人Bは単独で、CがAからCの相続分を超える価額の遺贈を受けたことを証する情報を提供したときは、相続を登記原因として、直接自己を登記名義人とする所有権の移転の登記を申請することができる。

× **055**

相続を原因とする所有権一部移転登記を申請することはできない。本肢の場合、まずDへの遺贈の登記を申請し、その後にB・Cへの相続登記を申請しなければならない（登研523-139参照）。

056 □□□ 平16-26-ア

法定相続分での共同相続を原因とする所有権移転の登記がされた後、共同相続人のうちの一人に特定の不動産を相続させる旨の公正証書遺言が発見されたときは、当該不動産を相続した相続人を登記権利者とし、他の共同相続人を登記義務者として、当該相続登記の更正の登記を申請することができる。

057 □□□ 平16-26-イ

土地について共同相続を原因とする所有権移転の登記がされた後、当該土地を２筆に分筆し、分筆後の土地をそれぞれ相続人らの一部の者の単有又は共有とする旨の遺産分割の調停が成立したときは、当該分筆後の土地を相続することとなった相続人は、他の相続人に代位して分筆の登記を申請することができる。

058 □□□ 平16-26-ウ

債権者代位によって第１順位の法定相続人のために共同相続を原因とする所有権移転の登記がされたが、当該相続登記より前に当該第１順位の法定相続人全員が相続放棄をしていた場合には、当該第１順位の法定相続人と第２順位の法定相続人とが共同して、第２順位の法定相続人の相続による所有権移転の登記を申請することができる。

○ **056**

法定相続分による相続登記後に相続人の一部の者に相続させる旨の特定財産承継遺言が発見された場合、当該相続人名義に更正する登記は、単独申請によることができるが（令5.3.28民二538号）、共同申請による更正登記を申請することもできる。

○ **057**

共同相続登記がされた後、当該土地を２筆に分筆し、分筆後の土地をそれぞれ相続人らの一部の者の単有又は共有とする旨の遺産分割の調停が成立した場合に、調停に基づく土地の分筆登記をするのに他の相続人らの協力が得られないときは、当該分筆後の土地を取得することになった相続人は、他の相続人に代位して分筆の登記を申請することができる（平2.4.24民三1528号）。

× **058**

本肢の場合、被相続人を登記権利者、第１順位の相続人全員を登記義務者として当該登記を抹消した後、第２順位の相続人名義に相続を原因とする所有権移転登記をすることになる。

059 □□□ 平29-20-オ（平25-17-1）

Aには子B及びCが、Cには子Dがおり、AがCを廃除する旨の遺言をし、その廃除の審判が確定した場合において、相続を登記原因とするAからB及びDへの所有権の移転の登記を申請するときは、当該廃除の審判書及び確定証明書を提供しなければならない。

060 □□□ 平25-17-2（令2-19-イ）

甲土地の所有権の登記名義人であるAには、配偶者B並びに子C及びDがおり、Cには、子Eがいる。Aが死亡して相続が開始した場合において、B、C及びD間で遺産分割協議を行った結果、Dが甲土地を取得することとされたときは、Dは、その旨の記載のあるB及びC間の証明書と、同旨の記載のあるDの証明書の2通を提供して、甲土地をDの単独所有とする相続による所有権の移転の登記を申請することができる。

061 □□□ 平28-24-イ

甲土地の所有権の登記名義人であるAに配偶者B及び子Cがいる場合において、Aが死亡して相続が開始し、Bから遺産分割協議に関する事項の委任を受けたXが、当該遺産分割協議に参加し、Cが甲土地を取得する旨の遺産分割協議書にBの代理人として署名押印している場合には、Cは、登記原因証明情報の一部として当該遺産分割協議書を提供し、甲土地についてAからCへの所有権の移転の登記を申請することができる。

× **059**

廃除の旨は被廃除者の戸籍に記載されるため、登記原因証明情報として被廃除者の戸籍の全部事項証明書等を添付すれば、別個に廃除を証する書面の添付は要しない。

○ **060**

遺産分割協議書の内容を確認した書面を作成して、各相続人が署名押印した各別の書面をもって遺産分割協議が成立したことを証する書面とすることも差し支えない（昭35.12.27民甲3327号）。

○ **061**

委任による代理人が参加して遺産分割が行われ、その協議書に委任代理人として署名押印がされている場合、登記原因証明情報の一部として当該遺産分割協議書を提供して、相続の登記を申請することができる（昭33.7.9民甲1379号）。

062 □□□ 平29-16-エ（平25-17-3）

被相続人Aの相続人がB及びCである場合において、相続開始後にBが破産手続開始の決定を受け、その後Aの相続財産についてCとBの破産管財人Dが当事者となって遺産分割協議をし、その協議に基づく相続を登記原因とする所有権の移転の登記を申請するときは、Dが遺産分割協議に参加することについての破産裁判所の許可があったことを証する情報を提供しなければならない。

063 □□□ 令2-19-ウ

甲不動産の所有権の登記名義人であるAが死亡し、Aの法定相続人として配偶者B、子C及び子Dがいる場合に、甲不動産について法定相続分による所有権の移転の登記がされた後に、Aの遺産分割に関する調停が成立し、その調停調書に、C及びDがBに対して甲不動産の持分各４分の１につき遺産分割を原因とする持分移転登記手続をする旨の記載がある場合には、Bは、遺産分割を登記原因として単独でC及びDからBへの持分の移転の登記の申請をすることができる。

064 □□□ 平25-17-4

甲土地の所有権の登記名義人であるAには、配偶者B並びに子C及びDがおり、Cには、子Eがいる。Aが死亡して相続が開始した場合において、Aの遺産に関する遺産分割の調停調書に、「Cが甲土地を取得する代償として、Cの所有する乙建物を無償でCがBに譲渡する。」旨の条項があるときは、Bは、当該調停調書の正本を提供することにより、乙建物につき、単独で、遺産分割による贈与を登記原因とする所有権の移転の登記を申請することができる。

○ **062**

相続人の一人が相続開始後に破産手続開始決定を受け、破産管財人が当事者となって遺産分割がされた場合、その相続の登記の申請には、破産法78条２項の規定に基づく破産裁判所の許可があったことを証する書面の提供を要する（平22.8.24民二2078号）。

○ **063**

調停調書は、裁判上の和解と同一の効力を有するものとされているため、確定判決と同一の効力を有する（民訴267、民調16）。そのため、調停調書に一方当事者に登記申請手続を命ずる条項が記載されている場合は、他方当事者は、その調停調書に基づいて単独で登記を申請することができる。

× **064**

本肢においては、調停調書に登記申請の意思表示がされておらず、63条１項の確定判決に準ずるとはいえない。したがって、当該調停調書を添付しても、Ｂが単独で所有権移転登記を申請することはできない。

065 □□□ 平30-21-イ

甲土地の所有権の登記名義人であるAが死亡し、Aに配偶者B並びに子C及びDがいるときにおいて、Aの遺産に関する遺産分割の調停調書に「Cが甲土地を取得する代償として、Cは、Bに対して、Cの所有する乙建物を譲渡する」旨の条項があるときは、B及びCは、当該調停調書の正本を提供して、乙建物について、遺産分割による代償譲渡を登記原因とする所有権の移転の登記を申請することができる。

066 □□□ 平28-24-ウ

甲土地の所有権の登記名義人であるAに配偶者B及び子Cがいる場合において、Aが死亡して相続が開始し、BがAの預貯金を取得する代わりにB所有の乙土地をCが取得する旨が記載された遺産分割協議書を登記原因証明情報の一部として提供し、乙土地についてBからCへの所有権の移転の登記を申請するときの登記原因は、遺産分割である。

067 □□□ 令2-19-ア

甲不動産の所有権の登記名義人であるAが死亡し、Aの法定相続人として配偶者B、子C及び子Dがいる場合に、甲不動産について法定相続分による所有権の移転の登記がされた後に、Bが自らの相続分をAの相続人でないEに譲渡し、C、D及びEの間で遺産分割協議を行ってEが単独で甲不動産の所有権を取得したときは、Eは、遺産分割を登記原因として、B、C及びDから直接Eへの持分の移転の登記の申請をすることができる。

× **065**

登記原因を「遺産分割による代償譲渡」とした所有権の移転の登記の申請は受理されない（平21.3.13民二646号）。

× **066**

代償分割として、共同相続人の一人の固有財産である不動産を他の共同相続人に与える方法によることも許され、この場合には、当該不動産について「遺産分割による贈与」を登記原因として所有権の移転の登記を申請する（昭40.12.17民甲3433号）。

× **067**

法定相続人への共同相続による所有権の移転の登記がされている不動産について、相続人の一人からその相続分の譲渡を受けた相続人以外の第三者が遺産分割により当該不動産を取得した場合、譲受人への相続分の譲渡による持分の移転の登記を申請した後、遺産分割による持分の移転の登記を申請する必要がある（登研745-123）。

068 □□□ 令2-19-オ

甲不動産の所有権の登記名義人であるAが死亡し、Aの法定相続人として配偶者B、子C及び子Dがいる場合に、「Dが甲不動産を取得するが、DはBに対してBを扶養する義務を負担する」との遺産分割協議に基づき、Dを所有権の登記名義人とする所有権の移転の登記がされた後に、DがBを扶養する義務に基づく債務を履行しないときは、Bは、Dに対して債務不履行に基づく解除の意思表示をすることによって、解除を登記原因として当該所有権の移転の登記の抹消を申請することができる。

民法第958条の2による特別縁故者への財産分与

069 □□□ 平7-15-ウ（平27-26-イ）

被相続人Aが死亡し、Aに配偶者であるBと嫡出子であるCがある場合、B、C共に相続を放棄して相続人が存在しなくなったため家庭裁判所が特別縁故者であるDに対してAの所有していた特定の不動産を与える審判をしたとき、Dは、単独で、D名義の所有権の移転の登記を申請することができる。

070 □□□ 平31-15-エ

Aが死亡し、その相続人のあることが明らかでない場合において、B及び亡Aの相続財産法人を所有権の登記名義人とする甲土地について、特別縁故者からの相続財産分与の申立が却下されたときは、却下する審判が確定した日を登記原因の日付として、亡Aの相続財産法人からBへの持分の全部移転の登記を申請することができる。

× **068**

相続人の一人が母を扶養する義務を負担することを条件とする遺産分割協議が成立した場合において、当該相続人が当該義務に基づく債務を履行しないときであっても、他の相続人は民法541条によって当該遺産分割協議を解除することはできない（最判平元.2.9)。

○ **069**

相続人不存在確定後、特別縁故者の請求によって、相続財産分与の審判がされ（民958の２Ⅰ)、その審判が確定したときは、特別縁故者は、63条の規定に準じて、当該審判書正本及び確定証明書を添付して単独で権利取得の登記を申請することができる(昭37.6.15民甲1606号第五参照)。

× **070**

特別縁故者不存在確定を登記原因とする持分の移転の登記の登記原因の日付は、民法958条の２第２項の期間内に特別縁故者からの財産分与の申立てがなかったときは「申立ての期間満了日の翌日」、特別縁故者からの申立てを却下する旨の審判が確定したときは「申立てを却下する旨の審判が確定した日の翌日」となる（平3.4.12民三2398号)。

遺贈に関する登記

071 □□□ 平元-24-3（平29-20-イ）

遺言執行者が、遺言に基づき不動産を売却し、買主名義に所有権移転の登記を申請するには、その前提として相続登記を経なければならない。

072 □□□ 平28-24-エ

甲土地の所有権の登記名義人であるAに配偶者B及び子Cがいる場合において、Aが死亡して相続が開始し、Bに甲土地を遺贈する旨の記載があるAの遺言書を登記原因証明情報の一部として提供し、甲土地についてAからBへの所有権の移転の登記を申請するときの登記原因は、遺贈である。

073 □□□ 平5-26-1（平27-25-3）

遺言者が、「甲不動産を相続人中の一人であるAに相続させる。」との遺言をして死亡したが、既に、Aが遺言者より先に死亡している場合に、Aの子がBのみであるときは、甲不動産につきBへの相続登記の申請をすることができる。

074 □□□ 平31-15-イ

Aが死亡し、その相続人のあることが明らかでない場合において、Aが、甲土地を含む相続財産全てをBに包括遺贈するとともに遺言執行者としてCを指定する旨の適式な遺言を作成していた場合において、Bへの遺贈による所有権の移転の登記をするときは、BとCが共同して所有権の移転の登記の申請をすることはできない。

○ **071**

いわゆる清算型遺贈のケースである。遺言者の財産を売却する場合、遺言者の死亡によって、遺言者の財産はひとまず相続人に帰属するので、買主への移転登記の前提として、相続人への相続を原因とする所有権移転登記を省略することはできない（昭45.10.5民甲4160号）。

○ **072**

遺言に基づく登記申請についての登記原因は、原則として、遺言書に「相続させる」と記載されている場合には「相続」、「遺贈する」と記載されている場合には「遺贈」となる。そのため、受遺者が相続人の一人であっても、その相続人に特定の不動産を「遺贈する」旨の遺言に基づく場合の登記原因は「遺贈」となる（昭48.12.11民三8859号）。

× **073**

本肢の場合には、Aに直系卑属Bがいるときでも、遺言書中に「Aが先に死亡した場合にはAに代わってBに相続させる」旨の文言がない限り、民法994条１項を類推適用して、甲不動産は遺言者の法定相続人全員に相続される（昭62.6.30民三3411号）。

× **074**

相続人以外の者に対する遺贈による所有権の移転の登記は、受遺者と遺言執行者又は相続人の共同申請による（63Ⅲ参照、昭33.4.28民甲779号）。

075 □□□　平20-24-イ（平29-20-エ）

Aは、甲土地をBに遺贈し、Bはその登記を経由することなく甲土地をCに遺贈するとともに遺言執行者を指定した場合、Cへの所有権の移転の登記の前提として、当該遺言執行者は、Aの相続人との共同申請により、AからBへの所有権の移転の登記の申請をすることができる。

076 □□□　平20-24-ウ

相続財産である数筆の土地のうちの一定の面積を指定して遺贈する旨の遺言があった場合には、遺言執行者は、土地の分筆の登記の申請をし、さらに、受遺者に対する所有権の移転の登記の申請をすることができる。

077 □□□　平20-24-エ

未登記の不動産の所有者が死亡し、相続人A及びBによる所有権の保存の登記がされ、AとBとの共有とされたが、その後に、Bが包括遺贈により当該不動産の全部を取得しており、かつ、遺言執行者としてBが指定されていたことが判明した場合、Bは、遺言執行者兼受遺者として、AからBへの持分の全部移転の登記の申請をすることができる。

○ **075**

遺言執行者は、AからBへの所有権移転登記を申請することができる。Cへの所有権移転登記をする義務を履行する前提として、AからBへの所有権移転登記の申請は必要な行為だからである(昭43.8.3民甲1837号)。

○ **076**

遺言執行者は、遺言の内容を実現するため、遺言の執行に必要な一切の行為をする権利義務を有する（民1012Ⅰ）のであり、本肢のように相続財産である数筆のうち、一定の面積を指定して遺贈する旨の遺言があった場合には、遺言執行者は、土地の分筆の登記を申請し、更に受遺者に対する所有権移転登記の申請をすることができる。

× **077**

本肢の場合、登記権利者である包括受遺者（相続人）Bは、単独で更正登記を申請することができる（令5.3.28民二538号)。また、受遺者（相続人）Bが単独で、BへのA持分全部移転の登記を申請することも可能であるが（民事月報Vol.78.5)、Bを「遺言執行者兼受遺者」として、単独で当該移転登記の申請があった場合は、25条7号の規定により却下される（昭和37.6.28民甲1717号)。

078 □□□　平28-24-オ

甲土地の所有権の登記名義人であるAに配偶者B及び子Cがいる場合において、Aが死亡して相続が開始し、Aの遺言書に、受遺者とその配分は遺言執行者において協議の上決定する旨及び遺言執行者としてBとCの2名を指定する旨の記載がされている場合において、Aの死亡後、BとCとの協議がされる前にBが死亡したときは、Cは、甲土地についてXに遺贈する旨を決定した上で、甲土地につきAからXへの所有権の移転の登記を申請することができる。

079 □□□　平22-25-5（平26-21-オ）

遺言者Aがその所有する不動産をBに遺贈する旨の遺言をした後、当該不動産について、AからCに対する売買を登記原因とする所有権の移転の登記がされ、さらに当該所有権の移転の登記が錯誤を登記原因として抹消され、その後にAが死亡した場合には、Bは、当該遺言による遺贈を登記原因とする所有権の移転の登記を申請することができない。

080 □□□　平26-21-イ

甲土地の所有権の登記名義人であるAが、公正証書によって、その所有する財産の全部をAの相続人でないBに対して遺贈する旨の遺言をしたが、Aの生前にBが死亡し、Bの直系卑属であるCがいる場合に、Aが死亡した後、Aの遺言に基づいて甲土地についてCを受遺者とする遺贈による所有権の移転の登記を申請することはできない。

× **078**

受遺者及び受贈額の決定を遺言執行者２名の協議によって決定すべき旨の遺言は無効であるため、当該遺贈による所有権の移転の登記を申請することはできない（昭33.10.11民甲2124号）。

× **079**

遺言者ＡがＢに遺贈する旨の遺言がされた不動産について、遺言者ＡからＣに対する所有権移転登記がされ、更に当該所有権移転登記が錯誤を登記原因として抹消された後、Ａが死亡した場合には、受遺者Ｂは、当該遺言による遺贈を登記原因とする所有権の移転の登記を申請することができる（平4.11.25民三6568号参照）。

○ **080**

遺贈は、遺言者の死亡以前に受遺者が死亡したときは、その効力を生じない（民994Ⅰ）。したがって、Ｃを受遺者とする遺贈による所有権移転登記は申請することができない。

081 □□□　　平12-14-オ

遺贈を原因とする所有権移転の登記の申請を公正証書遺言書で定められている遺言執行者がする場合、その代理権限証書には、遺言者の死亡を証する書面を添付することを要しない。

× 081

遺言で指定された遺言執行者が、遺贈を原因とする所有権移転登記を申請する場合は、同人の代理権限を証する情報の一部として、遺言書の他に遺言者の死亡を証する情報（戸籍謄抄本等）を申請情報と併せて提供しなければならない。

❸ 所有権保存

74条1項　保存

082 □□□　平22-14-イ

表題登記がない土地の所有権を時効によって取得した者は、表題登記の申請をすることなく、土地所在図及び地積測量図を提供して、直接自己を所有権の登記名義人とする所有権の保存の登記を申請することができる。

083 □□□　平22-14-ア

表題登記がない建物の所有権を収用によって取得した者は、表題登記の申請をすることなく、建物図面及び各階平面図を提供して、直接自己を登記名義人とする所有権の保存の登記を申請することができる。

084 □□□　平30-20-ウ

表題登記のない建物について、Aが、当該建物の所有権を有することを確認する旨の確定判決に基づいて、当該建物の表題登記の申請をすることなくAを登記名義人とする所有権の保存の登記の申請をする場合には、当該建物の建物図面及び各階平面図を提供しなければならない。

× **082**

所有権を有することが判決によって確認された者又は収用によって所有権を取得した者が所有権保存の登記を申請する場合を除いて（75参照）、表題登記がない土地について所有権の保存の登記を申請するときは、その土地について土地の表示に関する登記を申請（27）した後に、所有権の保存の登記をしなければならない。

○ **083**

表題登記がない不動産の所有権を収用によって取得した者は、表題登記の申請をすることなく、土地については地積測量図及び土地所在図を、建物については建物図面及び各階平面図を提供して、直接自己を登記名義人とする所有権の保存の登記を申請することができる（75、不登令別表28項添ホ・ヘ）。

○ **084**

所有権を有することが確定判決によって確認された者が、表題登記がない建物について、所有権の保存の登記を申請するときは、当該建物の建物図面及び各階平面図を提供しなければならない（75・74Ⅰ②、不登令別表28項添ヘ）。

085 □□□　平30-20-ア（平11-18-オ、平26-17-イ）

A及びBが表題部所有者である所有権の登記のない不動産について、Aの死亡によりCが、Bの死亡によりDが、それぞれ相続人となったときは、Cは、単独で、C及び亡Bを登記名義人とする所有権の保存の登記を申請することができる。

086 □□□　平15-22-ア（平19-26-オ、平26-17-オ）

土地の登記記録の表題部にA及びBが共有者として記録されている場合において、Aの死亡によりC及びDが、さらに、Cの死亡によりEが、Dの死亡によりFが、それぞれ相続人となったときは、B、E及びFは、自らを名義人とする所有権保存登記を申請することができる。

087 □□□　平29-12-オ

A株式会社が表題部所有者として記録されている所有権の登記がない建物について、A株式会社がA合同会社へ組織変更をした場合には、当該組織変更があったことを証する情報を提供しても、「所有者A合同会社」を申請情報の内容とする所有権の保存の登記を申請することができない。

088 □□□　平13-12-ア（平26-17-ア、平30-20-イ）

土地の登記記録の表題部に所有者として記録されたAが財産の全部をBに包括遺贈する旨の遺言をして死亡した場合、Bは、当該土地について、自己の名義で所有権保存登記を申請することができる。

○ **085**

表題部の共有者全員が死亡している場合には、死亡者全員の名義での所有権の保存の登記も、死亡者の一人の相続人と他の死亡者との共有名義での所有権の保存の登記も申請することができる(昭36.9.18民甲2323号)。そして、この場合の申請人は、相続人全員又は一部の者であってもよい(昭36.9.18民甲2323号)。

○ **086**

所有権保存登記の場合は、相続による所有権移転登記(昭30.12.16民甲2670号)と異なり、登記原因を申請情報の内容としないため、中間の相続が単独相続でなくても現在の所有者は直接保存登記をすることができる(登研407-85·443-93参照)。

× **087**

表題登記のみがされた不動産について、表題部に記載された所有者の氏名若しくは名称又は住所に変更や更正の事由があった場合、同一性を判断することができるのであれば、便宜、表題部所有者の表示の変更又は更正の登記を申請することなく、その変更又は更正を証する情報を提供して、直接、所有権の保存の登記を申請することができる(登研213-71・352-103)。

× **088**

包括受遺者は、相続人と同一の権利義務を有するが(民990)、表題部所有者の相続人その他一般承継人に当たらない。したがって、本肢の場合は、被相続人名義で所有権保存登記をし、次いで、受遺者に遺贈による所有権移転登記をする。

089 □□□ 平30-20-オ

所有権の登記のない不動産について、その表題部所有者A及びBの持分について変更があった場合には、表題部所有者の持分の更正の登記を申請することなく、当該変更後のA及びBの持分で、A及びBを登記名義人とする所有権の保存の登記を申請することができる。

090 □□□ 平22-14-ウ（令5-17-イ）

所有権の登記がない建物の表題部所有者の共同相続人の一人は、自己の持分のみについて、所有権の保存の登記を申請することができる。

091 □□□ 平3-26-1

表題部に記録されている所有者が死亡し、その相続人が明らかでない場合において、相続財産清算人は直接相続財産法人名義の保存登記を申請することができる。

092 □□□ 平30-20-エ

登記記録の表題部に所有者として記録されている甲は、その不動産を乙に売り渡したが、その登記をしないうちに死亡した。この場合、甲の相続人丙は、甲名義の所有権保存登記の申請をすることができる。

093 □□□ 平3-26-5

表題登記のみがされた法人所有の建物を合併により承継取得した法人は、直接その法人名義で保存登記を申請することができる。

× **089**

表題部所有者又はその持分についての変更は、当該不動産について所有権の保存の登記をした後において、その所有権の移転の登記の手続をするのでなければ、登記することができない（32）。

× **090**

共有者の一人が所有権の登記のない建物について、自己の持分のみの所有権保存登記を申請することはできない（明32.8.8民刑1311号）。

○ **091**

表題部所有者と相続財産法人とは実質的には人格は同一であるから、表題部所有者名義の所有権保存の登記を省略して、変更を証する情報を提供して、相続財産法人名義の所有権保存登記の申請をすることができると解されている（登研399-82参照）。

○ **092**

甲のもとで発生した所有権移転登記義務をその相続人丙が承継するため、丙は乙に対して売買を原因とする所有権移転登記をする前提として、甲名義の所有権保存登記を申請することができる（62）。

○ **093**

表題部所有者に死亡、合併等の一般承継が生じた場合、直接相続人その他の一般承継人名義で保存登記を申請することができる（74Ⅰ①後段）。

094 □□□ 平3-26-2（平11-18-ア）

表題登記のみがされた建物の買主は、売主に対して所有権移転の登記手続を命ずる確定判決を得たときは、直接自己名義の保存登記を申請することができる。

095 □□□ 平26-17-ウ

Aが所有権の保存の登記の登記名義人である建物について、Aに対して当該登記の抹消を命ずる判決が確定した場合において、当該判決の理由中でBが当該建物の所有権を有することが確認されているときは、Bは、当該登記を抹消し、自己を登記名義人とする所有権の保存の登記を申請することができる。

096 □□□ 平22-14-エ

所有権の登記がない建物について、表題部所有者AがBに対して当該建物を贈与する旨の民事調停が成立した場合には、Bは、当該調停に係る調停調書を提供して、直接Bを所有権の登記名義人とする所有権の保存の登記を申請することができる。

097 □□□ 平22-14-オ

敷地権付き区分建物の表題部所有者は、敷地権の表示を申請情報の内容として提供しなければ、自己を所有権の登記名義人とする所有権の保存の登記を申請することができない。

○ **094**

所有権を有することが確定判決によって確認された者は、直接自己名義で所有権保存登記を申請することができる（74 I ②）。

○ **095**

74条1項2号の「確定判決」は、主文において所有権が確認されている場合に限らず、判決の理由中において所有権が確認されている場合も含む。

○ **096**

所有権の登記がない建物について、表題部所有者が第三者に対して当該建物を譲渡する旨の民事調停が成立した場合には、当該第三者は、当該調停に係る調停調書を提供して、直接自己を所有権登記名義人とする所有権の保存の登記を申請することができる（74 I ②、不登令別表28項添ロ、民調16）。

× **097**

敷地権付き区分建物の表題部所有者が、自己を所有権の登記名義人とする所有権の保存の登記をする場合は、区分建物のみの登記で敷地権についての登記ではないため、74条1項1号申請によることとなる。そして、この場合、敷地権の表示を申請情報の内容として提供することを要しない。

74条2項　保存

098 □□□　平7-21-エ

敷地権の登記がされている区分建物の登記記録の表題部に所有者として記録されたAは、Bに区分建物を売却した後であっても、A名義の所有権の保存の登記を申請することができる。

099 □□□　平11-18-イ（平26-17-エ）

表題部の共有者A・Bから直接敷地権付きの甲区分建物を買い受けたCが、同建物をDに贈与した場合、Dは、自己名義の所有権の保存登記を申請することができる。

100 □□□　平15-22-エ（平19-26-ア）

敷地権の登記をした建物の登記記録の表題部にAが所有者として記録されている場合において、CがAの相続人Bから当該建物を譲り受けたときは、Cは、自らを名義人とする所有権保存登記を申請することができる。

101 □□□　平11-18-ウ

表題部の所有者Aから直接敷地権付きの甲区分建物を買い受けたB・Cのうち、Bが所有権の保存登記をする前に死亡した場合、その唯一の相続人Cは、相続を証する書面を添付して自己名義の所有権の保存登記を申請することができる。

○ **098**

敷地権付き区分建物にあっては、表題部に記録された所有者から所有権を取得した者は、直接自己名義で所有権保存登記をすることができる（74Ⅱ）。ただし、この場合でも、74条1項1号による表題部所有者名義での所有権保存登記の申請が否定されるわけではなく、Aは自己名義で所有権保存登記をした後に、Bへの所有権移転登記をすることもできる。

× **099**

74条2項の規定により所有権保存登記を申請できるのは、表題部所有者から直接所有権を取得した者に限られ、その者からさらに所有権を取得した者が直接所有権保存登記を申請することはできない。

× **100**

74条2項の保存登記の申請適格者は、表題部所有者から直接所有権を取得した者に限られ、表題部所有者の相続人からの譲受人は含まれない。

× **101**

本肢のような74条1項と2項の規定の適用を同時に受ける所有権保存登記は、申請することができない。

102 □□□ 平29-12-エ（平15-22-イ）

Ａが表題部所有者として記録されている所有権の登記がない敷地権付き区分建物について、当該区分建物及びその敷地を目的として、Ａを委託者、Ｂを受託者とする信託契約が締結されたときは、Ｂは、一の申請情報で、直接自らを所有者とする所有権の保存及び信託の登記を申請することができる。

103 □□□ 平15-22-オ（平19-26-エ）

敷地権の登記をした建物の登記記録の表題部にＡが所有者として記録されている場合において、ＢがＡからその持分２分の１を譲り受けたときは、Ａ及びＢは、両名を名義人とする所有権保存登記を申請することができる。

104 □□□ 平21-14-イ

敷地権付き区分建物につき、表題部所有者から所有権を取得した者が所有権の保存の登記を申請する場合、登記原因証明情報には、建物と敷地権である土地の権利とについて同一の処分がされたことが表示されていなければならない。

○ **102**

表題登記のみがされている敷地権付き区分建物について、信託不動産として管理運用する目的で、受託者から74条２項に基づく所有権の保存の登記及び信託の登記を申請することができる（登研646-113、不登98Ⅰ参照、不登令５Ⅱ参照)。

× **103**

敷地権付き区分建物について、その所有権の一部の譲渡があった場合、表題部所有者（74Ⅰ①前段）と転得者（74Ⅱ）との共有名義とする所有権保存登記を申請することはできない（登研571-71)。

○ **104**

敷地権付き区分建物について、74条２項による所有権保存登記を申請する場合の登記原因証明情報は、区分建物の所有権及び敷地権が同一の原因により移転したことを証するものであることを要する（昭58.11.10民三6400号)。

❹ 所有権更正

105 □□□ 平3-20-3

甲・乙・丙の全員が共同相続人であるのに、誤って甲・乙のみを名義人とする相続の登記がされた場合には、丙を登記権利者、甲・乙を登記義務者として、甲・乙・丙の共同相続名義とする更正の登記を申請することができる。

106 □□□ 平11-13-1（平16-26-オ）

甲土地について、所有者Aが死亡し、子B・Cの共同名義による法定相続の登記がされた後に、寄与分を定める協議が成立し、Bが単独で相続することになった場合、その事実に基づき、Cを登記義務者として所有権更正登記を申請することができる。

107 □□□ 平11-13-3

甲土地について、所有者Aが死亡し、子B・Cの共同名義による法定相続の登記がされた後にB・Cの相続放棄の申述が受理され、Aの親Dが相続した場合、B・Cを登記義務者として所有権移転登記を申請することができる。

108 □□□ 平22-13-ウ

Aが死亡し、Aを所有権の登記名義人とする不動産について、AからB及びBからCへの順次相続したことを登記原因として直接Cに対して所有権の移転の登記がされている場合において、Aの相続人がB及びDであることが判明したときは、B及びDに対する所有権の移転の登記とBからCに対する持分の移転の登記に更正する旨の登記の申請をすることができる。

○ **105**

甲・乙共有の相続登記を、甲・乙・丙の共同相続登記に更正する場合、登記権利者は丙、登記義務者は甲・乙である。相続登記であるから、前所有権登記名義人が義務者として関与することはない。

○ **106**

共同相続登記がされた後、寄与分が定められ、共同相続人の相続分が登記された持分と異なることとなった場合においては、「錯誤」を原因とする当該相続登記の更正登記を申請することができる（昭55.12.20民三7145号）。

× **107**

相続放棄をした者は、その相続に関しては初めから相続人とならなかったものとみなされる（民939）。本肢の場合、甲土地は最初からDが単独で相続していたことになるため、B・C名義の共同相続登記は当初から誤っていたことになる（是正前後の同一性なし）。したがって、当該相続登記を抹消し、AからDへの相続登記をやり直すこととなる。

× **108**

中間の相続を省略して直接最終の相続人名義による相続登記が経由されたが、その後、中間の相続が真実は共同相続であったことが判明した場合、当該登記を更正登記の方法によることはできず、当該相続登記から除外された相続人が共有持分権に基づき、相続登記の全部抹消手続を求め、一旦抹消登記をしてから、再度相続登記をする方法によることとなる（最判平17.12.15）。

109 □□□　平18-12-3

Aが単独で所有し、その旨の登記がされている甲建物に、Bが増築を施したので、AB間で甲建物の所有権の一部をAからBに移転する旨の合意がされた場合には、甲建物の所有権の登記名義人をAからA及びBとする更正の登記を申請することができる。

110 □□□　平18-12-4

所有権の登記名義人を、AからA及びBとする更正の登記がされた後、再度、A及びBからAとする更正の登記を申請することはできない。

111 □□□　平22-13-ア

AからBに対する売買、さらにBからCに対する売買を登記原因とする所有権の移転の登記がそれぞれされた後、Bの所有権の取得に係る登記原因に誤りがあることが判明した場合には、Bの所有権の更正の登記の申請をすることができる。

112 □□□　平17-20-イ

AからBに対する贈与を原因とする所有権の移転の登記について、その登記原因を共有物分割とする更正の登記を申請することができる。

113 □□□　平6-23-ウ

信託を原因として、委託者Aから受託者B名義に所有権移転登記がされている場合に、錯誤を原因として登記原因を売買とする更正の登記の申請をすることができる。

× **109**

後発的な事由で実体関係と既存の登記事項に不一致が生じた場合には更正登記をすることはできない。

× **110**

更正された登記であっても、更正登記の要件（更正の前後において登記の同一性が保たれていること）を満たしていれば、再度、更正登記をすることができる。

× **111**

更正登記の対象となる登記は、現に効力を有する登記に限られる（登研506-148）。本肢において、Bを登記名義人とする所有権の登記はCへの所有権移転登記により、現に効力を有するものではなくなっているため、当該更生登記は申請することができない。

× **112**

共有物分割は、共有関係があることを前提にして、その共有関係の消滅を目的とした制度であり、共有関係のないA単独所有の不動産についてBへの共有物分割を原因とする所有権移転登記の申請は認められない。

× **113**

信託を原因として委託者Aから受託者B名義に所有権移転登記がされている場合に、錯誤を原因として「信託」を「売買」と、「受託者」を「所有者」とする更正登記を申請することはできない（登研483-157）。

114 □□□ 平3-20-2

甲の単独の所有権であるのに、誤って甲・乙共有名義の相続による所有権保存の登記をした後、丙のために抵当権設定の登記をした場合には、甲及び乙は申請書に丙の承諾書を添付して、甲単独の所有権名義とする更正の登記の申請をすることができる。

115 □□□ 平27-18-ア

土地の所有権の登記名義人をAの単有名義からA及びBの共有名義とする更正の登記が申請された場合において、当該土地にCを登記名義人とする地上権の設定の登記がされているときは、登記官は、職権で当該地上権の登記を抹消しなければならない。

○ **114**

丙の抵当権が設定されている甲・乙共有の所有権登記を甲単有に更正する登記を申請する場合、乙の持分に関しては丙の抵当権は消滅することになるので、**丙は利害関係人に該当する**（68、不登令別表26項添ト）。

○ **115**

土地の所有権の登記名義人を単有名義から共有名義に更正する場合は、所有権の持分に地上権の設定登記をすることはできないため、その所有権を目的とする地上権は、当該所有権更正登記が実行されたときは、**職権抹消しなければならない**。

5 所有権抹消

116 □□□ 平11-24-ア（平26-18-ウ）

Bが死亡した時は所有権移転が失効する旨の付記登記があるAからBへの所有権移転登記がされている場合において、Bが死亡したときは、Aは、Bの死亡を証する戸籍の謄本を添付して、単独で当該所有権移転登記の抹消を申請することができる。

117 □□□ 平14-24-ア（平3-23-3）

所有権保存登記の抹消の申請書には、当該保存登記の後に通知された登記識別情報を記載した書面を添付することを要しない。

118 □□□ 平27-20-オ

AからB、BからCへと所有権の移転の登記が順次されている甲土地について、いずれの登記原因も無効である場合、これらの所有権の移転の登記を抹消するためには、AからBへの所有権の移転の登記の抹消を申請した後、BからCへの所有権の移転の登記の抹消を申請しなければならない。

119 □□□ 平26-18-エ

AからBへの売買を登記原因とする所有権の移転の登記がされた後にAが死亡した場合において、Aの相続人とBとの間でその売買契約を解除する旨の合意をしたときは、Aの相続人とBは、合意解除を登記原因として、当該所有権の移転の登記の抹消を申請することができる。

× **116**

所有権移転失効の定めがされている場合において、所有者が死亡した場合には、所有権「抹消」登記をすべきではなく、登記原因を「年月日所有権者死亡」とする所有権「移転」の登記をすべきとされている（大決大3.8.24）。

× **117**

所有権保存登記の抹消を登記名義人から申請する場合、所有権登記名義人の登記識別情報の提供を要する（22本文、不登令8Ⅰ⑤、昭35.3.31民甲712号参照）。

× **118**

ＡからＢ、ＢからＣへと順次所有権の移転の登記がされている甲土地について、いずれの登記原因も無効である場合、まず、ＢＣ間の所有権移転登記の抹消を申請し、次いで、ＡＢ間の所有権移転登記の抹消を申請することを要する（昭51.10.15民三5415号）。

○ **119**

Ａ名義の不動産について、売買を登記原因としてＢへの所有権移転の登記がされた後、Ａが死亡した場合、Ａの相続人は、買主Ｂとの間で当該売買契約を合意解除することができる（昭30.8.10民甲1705号）。したがって、Ｂ及びＡの相続人は、合意解除を登記原因としてＢ名義の所有権移転の登記の抹消を申請することができる。

120 □□□ 令2-14-エ

亡Aが所有権の登記名義人である甲土地について、亡Aの債権者Bが代位によりAの法定相続人であるC及びDを登記名義人とする相続による所有権の移転の登記を申請し、その登記がされた後に、C及びDの各持分につきEを債権者とする仮差押えの登記がされた場合において、Aが生前に甲土地をFに売却していたため、C及びDが錯誤を登記原因とする当該所有権の移転の登記の抹消を申請するときは、登記上の利害関係を有する第三者の承諾を証する情報として、Eの承諾を証する情報を提供すれば足りる。

121 □□□ 平2-16-1（平26-18-ア）

甲から乙へ強制競売による売却を原因として所有権移転の登記がされている場合、甲及び乙は、合意解除を原因として、その登記の抹消を申請することができない。

122 □□□ 令3-20-ア

競売による売却を原因としてAからBへの所有権の移転の登記がされている場合には、BはAに対し当該所有権の移転の登記について競落無効を原因とする抹消登記手続をする旨の記載のあるAとBとの和解調書の正本を添付して、Aが、単独で当該所有権の移転の登記の抹消の申請をすることはできない。

123 □□□ 令3-20-イ

Aが表題部所有者として記録されている建物について、Aの相続人Bを登記名義人とする所有権の保存の登記がされた場合において、その後に錯誤を登記原因として所有権の保存の登記が抹消されたときは、登記官は、当該建物の登記記録を閉鎖しなければならない。

× **120**

所有権の移転の登記の後にされた仮差押えの債権者だけでなく、債権者代位により当該所有権の移転の登記を申請した債権者も、当該所有権の移転の登記を抹消する登記の申請について、登記上の利害関係を有する第三者に該当する（昭30.12.20民甲2693号、大決大9.10.13）。したがって、Eだけでなく**Bの承諾を証する情報も提供しなければならない**。

○ **121**

強制競売による売却を原因としてされた裁判所の嘱託による所有権移転登記を、その買受人と前主とが合意解除を原因として抹消申請することは**できない**（昭36.6.16民甲1425号）。

× **122**

被告が原告に対し競落による所有権の移転の登記が無効であることを認め、その抹消登記手続をする旨の裁判上の和解調書を添付して、原告から競落無効を原因とする所有権の移転の登記の抹消の申請をすることは**できる**（昭37.10.26民甲3099号）。

× **123**

所有権の保存の登記が抹消された場合には、原則として、その登記記録は閉鎖される（昭36.9.2民甲2163号）。しかし、74条1項1号後段の規定により相続人名義でされた所有権の保存の登記が抹消された場合は、その登記記録は閉鎖されず、**表題部所有者の表示が回復されることとなる**（昭59.2.25民三1085号）。

124 □□□　平4-17-2（平27-21-オ）

区分建物の登記に関し、表題部に記録されている所有者の証明書によりその者から所有権を取得したことを証する者の申請によりされた所有権保存の登記を、錯誤により抹消した場合には、その登記記録を閉鎖することなく、表題部の所有者の記録を回復する。

○ **124**

所有権保存登記が抹消された場合には、原則としてその登記記録は閉鎖される（不登規8、昭36.9.2民甲2163号参照）が、74条２項の規定によりされた所有権保存登記が抹消された場合には、その登記記録は閉鎖されず表題部所有者の記録が回復される（昭59.2.25民三1085号参照）。

6 買戻し

買戻特約

125 □□□ 平10-15-イ

既登記の永小作権を売買により取得した場合のその永小作権を目的として、永小作権移転の登記と同時にする買戻特約の登記をすることはできない。

126 □□□ 平13-15-ウ

買戻特約が売買契約と同時にされている場合は、売買による所有権移転登記をした後でも、買戻特約の登記を申請することができる。

127 □□□ 平元-18-5（平17-15-ア、平24-22-イ、平29-21-オ）

買戻しの特約の仮登記の申請は、所有権移転の仮登記の申請と同時にすることを要しない。

128 □□□ 平22-15-エ

買戻しの特約を付した売買契約がされ、所有権の移転の仮登記がされた場合は、所有権の移転の仮登記に付記して、買戻しの特約の登記も仮登記として登記される。

129 □□□ 平元-18-4（平17-15-ウ）

買戻しの特約において、売買代金のほか、これに対する利息を併せて返還すべき旨を定めた場合は、売買代金及び利息の額を記載して、買戻しの特約の登記を申請することができる。

× **125**

本肢の場合、永小作権移転登記と同時に買戻特約の登記をすることができる。

× **126**

買戻特約の登記は、売買による所有権その他の権利の移転の登記申請と同時に、別個の申請情報により申請しなければならず（民581Ⅰ、昭35.3.31民甲712号第三参照）、後日、買戻特約の登記のみを申請することはできない。

○ **127**

買戻特約の仮登記は可能であり、その仮登記は所有権移転の仮登記と同時に申請することを要しない（昭36.5.30民甲1257号）。

○ **128**

所有権移転の登記が仮登記の場合には、買戻しの特約の登記は、当該所有権移転の仮登記に付記して（不登規3⑨）、仮登記でされる。

× **129**

買戻特約において売買代金と併せて利息を返還する旨を定めても、利息の額については申請情報の内容とすることはできない（昭35.8.1民甲1934号参照）。

130 □□□ 令5-20-ア

甲建物の所有権を目的として買戻しの特約が付された売買契約が締結され、買主が実際に支払った代金に代えて別途合意により定めた金額により買い戻せるものとした場合において、当該買戻しの特約の登記を申請するときは、その合意により定めた金額を申請情報の内容とすることはできない。

131 □□□ 平22-15-ア（令5-20-オ）

買戻しの特約を付した売買契約において、所有権の移転の日の特約が定められていた場合には、所有権の移転の登記の登記原因の日付とは異なる登記原因の日付で、買戻しの特約の登記の申請をすることができる。

132 □□□ 平29-21-イ

乙建物の所有権を目的として、売買代金を分割して支払う旨の定めがある売買契約が締結され、当該契約に買戻しの代金につき別段の合意のない買戻しの特約が付された場合において、当該買戻しの特約の登記を申請するときは、買主が現実に支払った金額及び売買の総代金を、当該登記の申請情報の内容としなければならない。

133 □□□ 平19-24-イ

所有権の移転の仮登記に付記してされた買戻しの特約の仮登記に基づき買戻しの特約の本登記を申請するときは、当該所有権の移転の仮登記に基づく本登記の申請と同時にしなければならない。

× **130**

買戻しの特約の登記は、買主が支払った代金（民法579条の別段の合意をした場合にあっては、その合意により定めた金額）及び契約の費用並びに買戻しの期間の定めがあるときはその定めを申請情報の内容としなければならない（不登令3条13号、不登令別表64項申、令2.3.31民二328号）。

○ **131**

買戻特約の登記の登記原因日付は、買戻しの特約のされた日を記載する。一方、売買についての登記原因日付は、所有権移転の日の特約が定められていた場合には、その効力発生日となる。したがって、所有権の移転の登記と買戻しの特約の登記は、それぞれの登記原因の日付が異なっていても、登記の申請をすることができる。

○ **132**

売買契約に売買代金を分割して支払う旨の定めがある場合には、買主が現実に支払った金額及び売買の総代金を買戻特約の登記の申請情報の内容としなければならない（昭35.8.2民甲1971号）。

○ **133**

買戻特約の仮登記に基づき本登記を申請する場合には、必ず所有権移転の本登記と同時に申請しなければならない（昭38.8.29民甲2540号）。

134 平7-25-エ（平22-15-イ）

買戻特約の登記の申請は、同時にされる所有権の移転の登記の申請が譲渡担保を原因とする場合でも、することができる。

135 平17-15-イ

ＡがＢの新築建物を買戻しの特約付きで買い受け、Ａを表題部所有者とする当該建物の表題登記がされた場合には、Ａの所有権の保存の登記の申請と同時に、Ｂのための買戻しの特約の登記の申請をすることができる。

136 平17-15-エ

買戻しの期間を「売買代金の支払期間が、10年を超えるときは売買契約締結の日の翌日から起算して10年間、５年内のときは売買契約締結の日の翌日から起算して５年間、５年間を超え10年に満たないときは売買代金支払の完了まで」とする買戻しの特約の登記は、申請することができない。

137 令5-20-エ

買戻しの期間を15年と合意する旨を記載した登記原因を証する情報を添付し、買戻しの期間を15年として申請情報を提供してした買戻しの特約の登記の申請をしても、買戻期間を10年と引き直して買戻しの特約の登記がされる。

× **134**

買戻しの特約は、民法579条によれば「売買契約と同時にした」と規定されているため、売買契約ではない譲渡担保契約と同時には、買戻しの特約をすることはできない（登研322-73参照）。

○ **135**

民法581条1項にいう「売買契約」による登記とは、買主が自己の所有権を第三者に対抗することのできる所有権の登記を指すものと解すれば足り、必ずしも所有権移転の登記でなくてもよく、所有権保存の登記であっても差し支えない（昭38.8.29民甲2540号）。

○ **136**

買戻特約の登記においては、売買代金の支払期間は登記事項とならないので、売買代金の支払期間に基づいた買戻しの期間の特約は登記することができない（昭34.1.27民甲126号）。

× **137**

買戻しの期間を15年と特約し、これを申請情報の内容として記載した買戻しの特約の登記の申請は却下される（登研815-139）。なお、この場合、申請情報の内容とすべき買戻しの期間は10年である。

買戻権の行使

138 □□□ 平22-15-ウ

買戻しによる所有権の移転の登記の登記原因の日付が買戻しの期間経過前である場合には、買戻しの期間経過後であっても、買戻しによる所有権の移転の登記の申請をすることができる。

139 □□□ 平13-15-ア

所有権について買戻特約の登記がされている場合において、買戻権者がその権利を行使したときは、所有権移転登記の抹消の申請をすることができる。

140 □□□ 平13-15-オ

買戻権の行使による所有名義回復のための登記の申請は、買戻特約の登記の抹消と同時にしなければならない。

移転・変更

141 □□□ 平29-21-ア

甲土地の所有権の移転の登記と同時に買戻しの特約の登記がされている場合において、売買を登記原因として当該特約に係る買戻権の移転の登記を申請するときは、登記権利者の住所を証する情報を提供することを要しない。

○ **138**

買戻しの期間中に買戻権を行使していれば、買戻しの期間経過後に買戻しによる所有権移転の登記の申請をしても受理される（登研227-74）。買戻しによる所有権移転登記の原因日付は買戻しの期間経過前だからである。

× **139**

買戻権の行使は、実体法上は、売買の解除権の行使とされているが（民579参照）、登記手続上は、買戻権者が登記名義を回復するためには、抹消登記ではなく移転登記の方法による（明32.8.8民刑1311号）。

× **140**

買戻権の行使による移転の登記がされると、買戻権が消滅したことが登記記録上からも明らかになることから、買戻特約の登記は職権で抹消される（不登規174）。

○ **141**

買戻権の移転の登記を申請するときは、登記権利者の住所を証する情報を提供することは要求されていない（不登令別表28項添二・29項添八・30項添八参照）。

142 □□□ 平17-15-オ（平26-19-オ）

買戻しの特約の登記に買主が支払った代金として登記された1,000万円を1,500万円とする更正の登記は、申請することができない。

143 □□□ 平30-12-イ（平26-19-エ）

所有権の登記名義人及び買戻権の登記名義人が共同して申請する、土地の買主である当該所有権の登記名義人が一括で支払った売買代金の総額を増額する旨の買戻権の変更の登記は申請することができない。

抹消

144 □□□ 平21-16-5（平19-24-オ、平27-18-ウ、令3-20-エ）

買戻しの特約の付記登記がされている所有権の移転の登記が解除を原因として抹消された場合、当該買戻しの特約の登記は、登記官の職権により抹消される。

145 □□□ 平19-24-ア

共有者A及びBの各共有持分について買戻権者を同じくする買戻しの特約の登記が各別にされているときは、これらの登記の抹消は、当該抹消の登記原因及びその日付が同一であれば、一の申請情報によって申請することができる。

× **142**

売買代金の増額変更の登記を申請することはできない（昭43.2.9民三34号）が、既登記の買戻特約の売買代金に錯誤がある場合、売買代金を増額する更正の登記を申請することができる。

○ **143**

買戻特約の登記後、契約による売買代金の増額変更の登記を申請することは、原則として許されない(昭43.2.9民三34号)。なお、売買代金を分割して支払うこととし、現実に支払った代金の額及び総売買代金の額が登記されている場合は、支払額の増額による変更の登記を申請することができる（登研245-60）。

× **144**

買戻しの特約の付記登記がされている所有権の移転の登記について、錯誤又は解除により当該所有権の移転の登記を抹消する場合には、当該移転の登記の抹消と同時又はこれに先立って、申請により買戻しの特約の登記を抹消することを要する（昭41.8.24民甲2446号）。

× **145**

同一の不動産上に登記された、買戻権者を同じくし、買主を異にする数個の買戻しの特約の登記抹消の申請は、登記原因及びその日付が同一であっても、一の申請情報ですることはできない（登研570-174）。

146 □□□　　平29-21-エ

乙建物の所有権の移転の登記と同時に買戻しの特約の登記がされ、当該特約に係る買戻権を目的として差押えの登記がされている場合において、当該買戻権の買戻期間が満了したときは、当該差押えの登記に係る差押債権者の承諾を証する情報を提供して当該買戻しの特約の登記の抹消を申請することができる。

○ **146**

買戻権は、買戻期間の満了により当然に消滅し、「買戻期間満了」を登記原因として買戻権の登記の抹消を申請することができる（登研214-71）。そして、この場合、買戻権の特約の登記を目的とした差押債権者は、登記上の利害関係人に該当するので、差押債権者の承諾を証する当該差押債権者が作成した情報又は当該差押債権者に対抗することができる裁判があったことを証する情報の提供を要する（不登令別表26項添ト）。

第3編
抵当権に関する登記

1 抵当権設定

目的物

001 □□□ 平5-21-1

登記原因証明情報である金銭消費貸借抵当権設定契約証書に記載されている利息の定めが利息制限法の制限利率を超える場合でも、申請書に制限利率内の利息を記載して登記の申請をすることができる。

002 □□□ 平29-12-イ（令5-23-イ）

Aを所有権の登記名義人とする建物について、Aが債権者Bとの間で抵当権を設定する契約を締結した場合には、利息の定めとして「年1.5%。ただし、将来の金融情勢に応じ債権者において利率を適宜変更できるものとする」旨を申請情報の内容とする抵当権の設定の登記を申請することができる。

003 □□□ 平15-12-3（平30-12-エ）

工事の請負契約を締結した場合には、当該請負契約に基づく請負代金債権を担保するため、請負契約締結と同時に、工事依頼者所有の不動産を目的とする抵当権設定契約を締結し、当該抵当権の設定登記を申請することができる。

004 □□□ 平21-25-オ（平2-25-1、平5-21-3、令5-23-ウ）

清算中の会社は、自己の所有する不動産を目的とする第三者の債務のための抵当権設定契約を原因として、抵当権の設定の登記を申請することはできない。

○ **001**

登記原因証明情報である抵当権設定契約書には制限利息を超過する利息の定めがあっても、制限利息の限度内の利率に引き直して記録したものを申請情報の内容として提供すれば、その登記の申請は受理される（昭29.7.13民甲1459号参照）。

× **002**

「利息年何%、ただし将来の金融情勢に応じ債権者において適宜変更することができる」旨の約定のうち、ただし書の部分は登記をすることはできない（昭1.3.14民甲506号）。

○ **003**

工事請負契約上の請負代金担保のために、当該契約と同時に、工事依頼者所有の不動産について抵当権を設定し、その登記を申請することができる（昭44.8.15民三675号）。

× **004**

清算中の会社が設定した抵当権の登記は、設定契約の時点が解散の前後を問わず、受理される（昭41.11.7民甲3252号）。

005 □□□ 平5-21-4（平19-18-イ）

債権額を外国の通貨をもって表示する場合に、日本の通貨をもって表示する担保限度額は、抵当権設定契約日の為替相場によらず、当事者間で自由に定めた邦貨換算額をもって登記の申請をすることができる。

006 □□□ 平15-12-4（平21-25-エ、平23-18-ア）

債務者が将来特定の土地を取得することを前提として当該土地を目的とする抵当権設定契約を締結した場合において、債務者がその後当該土地を取得したときは、当該抵当権設定契約の日を登記原因の日付とする抵当権設定登記を申請することができる。

007 □□□ 平31-20-オ

外国会社を債務者とする抵当権の設定の登記を申請する場合には、当該債務者の本店の所在地のほか、日本における営業所の所在地を申請情報の内容としなければならない。

008 □□□ 平6-22-2

法人格を有しない社団を債務者とする抵当権設定登記の申請は、することができる。

009 □□□ 平8-24-5

担保不動産競売開始決定による差押えの登記がされている不動産についての抵当権設定の登記の申請はすることができない。

○ **005**

担保限度額は、必ずしも登記申請当時の為替相場による額であることを要せず、当事者の合意で自由に定めた額で差し支えないものとされている（昭35.3.31民甲712号）。

× **006**

債務者が将来特定の土地を取得することを前提として当該土地を目的とする抵当権設定契約を締結した場合において、当該抵当権設定契約の日を登記原因の日付とする抵当権設定登記を申請することはできない（登研440-79）。

× **007**

外国会社を債務者とする抵当権の設定の登記を申請する場合においては、当該外国会社の「本店の所在地」を申請情報の内容としなければならない（不登令別表55項申イ、不登83Ⅰ②）。

○ **008**

法人格を有しない社団を債務者として、抵当権又は根抵当権設定の登記を申請することができる（昭31.6.13民甲1317号、登研468-97）。

× **009**

既に担保不動産競売手続開始決定に基づく差押登記がされた不動産についての抵当権設定は、差押債権者に対しては対抗することはできないが、契約当事者間では有効であるので登記の申請をすることは可能である。

010 □□□ 平9-27-ウ（平2-25-5）

甲不動産はA・B及びCの共有に属し、その旨の登記がされている。AがCから持分を譲り受けてその移転登記がされた場合、Aの債権者Dは、当該持分のみについて抵当権を設定し、Aと共同でその登記の申請をすることができる。

共同抵当権

011 □□□ 令2-13-ウ

甲土地に抵当権の設定の登記がされた後、登記された利息について利率の引下げがあり、その後に同一の債権のために乙建物に抵当権の追加設定の登記を行う場合には、その前提として、甲土地に設定された抵当権について利息に関する定めの変更の登記の申請をしなければならない。

012 □□□ 平23-18-ウ

AとBは、平成23年6月10日、金銭消費貸借契約を締結するとともに、A所有の不動産に、抵当権者をB、債務者をA、債権額金1,000万円、利息年5パーセントとする抵当権を設定する契約を締結したが、当該抵当権の設定の登記を申請する前の同月15日、利息を年3パーセントに変更する契約をした。この場合における当該抵当権の設定の登記原因は、平成23年6月10日金銭消費貸借同日設定である。

○ **010**

後から取得した持分のみについて抵当権を設定し登記をすることができる。そして、この場合の登記の目的は「A持分一部（順位何番で登記した持分）抵当権設定」となる（昭58.4.4民三2252号）。

× **011**

抵当権の設定の登記後、抵当権の被担保債権の利率の引下げがあり、その後に抵当権の追加設定の登記を申請する場合、利率の引下げにより既登記抵当権の利率と追加設定に係る抵当権の申請情報の利率が一致しないときであっても、既登記抵当権の変更の登記を申請することなく、引下げ後の利率をもって抵当権の追加設定の登記を申請することができる（昭41.12.1民甲3322号）。

○ **012**

抵当権設定契約締結後、未登記の間に利息を変更する契約をした場合、変更どおりの内容の抵当権設定の登記を申請することができる（登研151-49、昭34.5.6民甲90号参照）。この場合、登記原因の記載は当初の抵当権設定契約だけで足りるが、登記原因証明情報として、変更契約を証する情報を併せて提供する必要がある（登研151-49）。

013 □□□ 平15-12-2（平2-25-3、平31-20-ア）

所有権保存登記のされた建物について、その登記記録の表題部に記録された建築年月日より前の日をもって締結された抵当権設定契約を原因とする抵当権設定登記を申請することができる。

014 □□□ 平18-23-エ

抵当権者が数人ある抵当権の設定の登記を申請するときは、当該抵当権者ごとの持分を申請情報の内容として提供しなければならない。

015 □□□ 平18-23-ア

抵当権の設定の登記をした後、債務者の住所に変更があった場合において、当該抵当権の被担保債権と同一の債権の担保として他の不動産に設定した抵当権の設定の登記を申請するときは、その申請に先立って、債務者の住所についての変更の登記を申請しなければならない。

016 □□□ 平19-18-ウ

管轄を異にする複数の不動産を目的とする共同抵当権の設定の登記を申請するときは、最初に当該登記を申請する登記所に対しては、当該登記所以外の登記所の管轄に属する不動産の所在及び地番又は家屋番号を申請情報として提供することを要しない。

○ **013**

工事中の建物でも、屋根及び周壁を有し一個の建造物として存在するに至れば、法律上の建物となる（大判昭10.10.1）。したがって、建築年月日前の日付で締結された建物抵当権設定契約であることが登記記録上において明らかな場合でも、その契約を登記原因とする抵当権設定登記の申請はすることができる（昭39.4.6民甲1291号）。

○ **014**

抵当権者が数人ある抵当権の設定の登記を申請するときは、当該抵当権者ごとの持分を申請情報の内容として提供しなければならない（不登令3⑨、昭35.3.31民甲712号）。

× **015**

抵当権の追加設定登記を申請する場合、共同担保としての同一性の確認は、登記原因たる被担保債権の発生原因等からその同一性が確認できれば足り（昭41.12.1民甲3322号参照）、債務者の住所が異なる場合でも追加設定登記を申請することができる。

× **016**

管轄を異にする複数の不動産を目的とする共同抵当権の設定の登記を申請するときは、最初に当該登記を申請する登記所に対しては、共同担保となる不動産の内容を申請情報として提供する必要がある（不登令別表55項申イ、不登83Ⅰ④）。

017 □□□ 平18-19-ア（平6-22-5）

同一管轄内にある所有権の登記名義人を異にする数個の不動産について、同一の債権を担保するために、抵当権者と各所有権の登記名義人が抵当権の設定契約を締結した場合、当該契約に基づく抵当権の設定の登記は、抵当権の設定日が異なるときであっても、一の申請情報により申請することができる。

○ **017**

所有者が異なる同一管轄内にある数個の不動産について、同一の債権を担保するために抵当権者と各所有者が抵当権の設定契約を締結した場合、抵当権の設定日が異なるときでも一の申請情報により申請することができる（昭39.3.7民甲588号参照、規35条10号）。

❷ 抵当権移転

018 □□□ 平31-20-エ

更改前の債務の目的の限度において、当該債務の担保として甲土地に設定された抵当権（債権額1,000万円）を更改後の債務に移した場合に、債権者更改による新債務担保を登記原因とする抵当権の移転の登記の登録免許税は、2万円である。なお、租税特別措置法等の特例法による税の減免規定の適用はないものとする。

019 □□□ 平20-20-イ

複数の者が共同して抵当権の移転を受けた場合、抵当権の移転の登記を申請するときの申請情報には、登記権利者ごとの被担保債権の持分を記録しなければならない。

020 □□□ 平20-20-ウ（平31-20-イ）

連帯債務者A、B及びCに対する債権を被担保債権として抵当権が設定されている場合において、そのうちAに対する債権のみが第三者に譲渡されたときは、抵当権の一部移転の登記を申請することができる。

021 □□□ 平20-20-オ（平25-25-ア）

吸収分割を原因とする抵当権の移転の登記を申請する場合には、登記原因証明情報として、会社分割の記載がある吸収分割承継会社の登記事項証明書を提供すれば足りる。

○ **018**

抵当権の移転の登記の登録免許税は、移転した債権額を課税標準として、1000分の2の税率を乗じて計算した額である（登録税別表1.1.（6）ロ）。

○ **019**

複数の者が共同して抵当権の移転を受けた場合、抵当権の移転の登記を申請するときの申請情報には、登記権利者ごとの被担保債権の持分を記録しなければならない（59④・88）。

○ **020**

連帯債務者A、B及びCに対する債権を被担保債権として抵当権が設定されている場合に、Aに対する債権のみが第三者に譲渡されたときは、「年月日債権譲渡（連帯債務者Aに係る債権）」を登記原因として、抵当権の一部移転登記の申請をすることができる（平9.12.4民三2155号）。

× **021**

吸収分割を原因とする抵当権の移転の登記を申請する場合には、登記原因証明情報として、会社分割の記載がある吸収分割承継会社の登記事項証明書（会社法人等番号の提供により添付省略可）及び吸収分割契約書を、申請情報と併せて提供しなければならない（平18.3.29民二755号）。

022 □□□

平25-25-イ

Ａ株式会社（以下「Ａ社」という。）を吸収分割株式会社とし、Ｂ株式会社（以下「Ｂ社」という。）を吸収分割承継株式会社とする吸収分割があった場合において、Ａ社を抵当権者とする抵当権について、会社分割を登記原因とするＢ社への抵当権の移転の登記を申請するときは、当該抵当権の設定の登記の際に通知された登記識別情報を提供しなければならない。

○ **022**

会社分割による権利移転の登記は、設立会社又は承継会社を登記権利者、分割会社を登記義務者として申請する共同申請であり(60、平13.3.30民二867号)、登記識別情報の提供が必要である(22本文)。

❸ 抵当権変更

債権額

023 □□□　令2-21-イ

金銭消費貸借予約契約に基づく将来の債権を担保するための抵当権の設定の登記がされている場合において、当該予約契約を変更し債権額の増額を行ったときは、抵当権の債権額を増額する抵当権の変更の登記を申請することができる。

024 □□□　平27-23-ア

Ａを登記名義人とする抵当権の設定の登記がされた後、ＡからＢに対して債権一部譲渡を登記原因とする当該抵当権の一部の移転の登記がされている場合において、当該抵当権の被担保債権のうちＡの債権のみが弁済されたときは、「Ａの債権弁済」を登記原因として、抵当権の変更の登記を申請することができる。

025 □□□　令2-21-ア

弁済の充当に関する当事者間の合意により抵当権の被担保債権の元本が全額弁済され、利息のみが残っている場合は、変更後の事項を「債権額金○○円（年月分から年月分までの利息）」として、一部弁済を登記原因とする抵当権の変更の登記を申請することができる。

○ **023**

金銭消費貸借予約契約に基づく将来の債権を担保するための抵当権の設定の登記がされている場合、当該金銭消費貸借予約契約を変更して貸付金を増額したときは、被担保債権に同一性があるものとして、債権額を増額する抵当権の変更の登記を申請することができる（昭42.11.7民甲3142号）。

○ **024**

債権一部譲渡による抵当権一部移転の登記を申請し、抵当権が準共有状態となった後に、原抵当権者の債権のみが弁済された場合、「何某の債権弁済」を登記原因として、抵当権変更の登記を申請することができる。

× **025**

抵当権の被担保債権の元本が全額弁済され、利息のみが残っている場合、変更後の事項を「債権額金〇〇円（年月分から年月分までの利息）」として、登記原因を「元本弁済」とする抵当権の変更の登記を申請する（平28.6.8民二386号記録例398）。

債務者

026 □□□　平6-22-3（平19-18-エ）

Ａ名義の第１順位の抵当権及びＢ名義の第２順位の抵当権の設定登記がされているときは、Ｂの承諾書を申請書に添付しなければ、免責的債務引受によるＡの抵当権の債務者の変更の登記を申請することはできない。

027 □□□　平18-23-ア（平12-16-オ）

抵当権の設定の登記をした後、債務者の住所に変更があった場合において、当該抵当権の被担保債権と同一の債権の担保として他の不動産に設定した抵当権の設定の登記を申請するときは、その申請に先立って、債務者の住所についての変更の登記を申請しなければならない。

028 □□□　平18-23-イ

不動産の所有権を目的とする抵当権の設定の登記がされている場合において、書面を提出する方法により、債務者を変更する抵当権の変更の登記を申請するときは、抵当権設定者の印鑑に関する証明書の添付を要しない。

029 □□□　平12-18-5

債務者が死亡し、共同相続人の一人が遺産分割によって抵当権付債務を引き受けた場合には、共同相続人全員を債務者とする変更の登記をした上で、債務引受けによる変更の登記を申請しなければならない。

× **026**

先順位抵当権の債務者が変更されても、後順位抵当権者に不利益が及ぶことはないので、本肢の登記申請に際してBの承諾を証するBが作成した情報を申請情報と併せて提供することを要しない。

× **027**

抵当権の追加設定登記を申請する場合、共同担保としての同一性の確認は、登記原因たる被担保債権の発生原因等からその同一性が確認できれば足りる（昭41.12.1民甲3322号参照）。

○ **028**

不動産の所有権を目的とする抵当権の設定の登記がされている場合において、書面を提出する方法により、抵当権の債務者を変更する登記の申請をする場合、抵当権設定者の印鑑証明書の添付は要しない（不登規47Ⅰ③イ（1）括弧書、不登令16Ⅱ、昭30.5.30民甲1123号参照）。

× **029**

抵当権の債務者たる被相続人が死亡した後、債権者の同意を得て遺産分割協議により債務者を共同相続人のうちの一人とした場合、相続を登記原因として、抵当権の変更登記を申請することができる（民909前段参照）。

030 □□□ 平25-25-エ

Ａ株式会社（以下「Ａ社」という。）を吸収分割株式会社とし、Ｂ株式会社（以下「Ｂ社」という。）を吸収分割承継株式会社とする吸収分割があった場合において、Ａ社を債務者とする抵当権について、吸収分割契約においてＢ社が当該抵当権の被担保債務を承継する旨を定めなかったときは、会社分割による債務者の変更の登記を申請することを要しない。

共有持分上の抵当権の、効力の範囲の変更

031 □□□ 平23-18-エ

Ａ及びＢが共有する不動産のＡ持分にＣを抵当権者とする抵当権の設定の登記がされている場合において、Ｂ持分に同一の債権を担保する抵当権の効力を生じさせるためには、ＢとＣとの間で抵当権を設定する契約を締結し、Ａ持分の抵当権の効力をＢ持分に及ぼす変更の登記を申請しなければならない。

民法第376条の処分

032 □□□ 平21-25-ア

先順位抵当権と後順位抵当権とが同一人に属する場合においても、抵当権の順位を譲渡し、その登記を申請することができる。

○ **030**

承継会社は、吸収分割契約において定めた分割会社の権利義務を承継する（会社759）。したがって、吸収分割契約において承継会社が分割会社の被担保債務を承継する旨を定めなかったときは、債務者の変更登記は不要である。

× **031**

ＡＢ共有不動産のＡ持分についてＣを抵当権者とする抵当権設定の登記をしたのち、Ｂ持分を追加担保とするために、Ａ持分について設定した抵当権の効力をＢ持分に及ぼすための抵当権変更の登記を申請することはできない（登研304-73）。

○ **032**

先順位抵当権と後順位抵当権とが同一人に属する場合においても、抵当権の順位を譲渡しその登記を申請することができる（昭29.3.26民甲686号）。

033 □□□ 平30-24-イ

乙区１番(あ)で登記された抵当権の登記名義人Aが、乙区１番(い)で登記された抵当権の登記名義人Bに対して抵当権の順位を譲渡したときは、A及びBは、共同して抵当権の順位の譲渡の登記を申請することができる。

033

同順位の抵当権者間で、順位の譲渡の登記を申請することができる（昭28.11.6民甲1940号）。

④ 順位変更

034 □□□ 令2-21-オ

乙区１番及び乙区２番で設定の登記がされている各抵当権について、令和２年４月１日に各抵当権者の間でその順位を変更する合意がされた後、当該順位の変更について利害関係を有する者の承諾が令和２年４月３日に得られた場合は、令和２年４月１日合意を登記原因及びその日付として当該抵当権の順位の変更の登記を申請することができる。

035 □□□ 平3-31-3（平16-19-2、平31-20-ウ）

甲が第１順位、乙が第２順位、丙が第３順位で登記された抵当権を有する場合において、丙の抵当権の債権額が甲の抵当権の債権額よりも少ないときは、甲及び丙は、丙が第１順位、乙が第２順位、甲が第３順位とする変更の登記を申請することができる。

036 □□□ 平9-25-ア

Ａを順位１番、Ｂを順位２番、Ｃを順位３番とする各抵当権設定登記がされていたのを、Ａを第1、Ｃを第2、Ｂを第３に変更する順位変更の登記を申請するとき、ＡからＢに対し順位の譲渡の登記がされていた場合、順位変更の登記の申請は、Ａ、Ｂ及びＣが共同してしなければならない。

037 □□□ 平9-25-ウ（平16-19-3）

Ａを順位１番、Ｂを順位２番、Ｃを順位３番とする各抵当権設定登記がされていたのを、Ａを第1、Ｃを第2、Ｂを第３に変更する順位変更の登記を申請するとき、Ｂの抵当権につきＤの転抵当の登記がされている場合、当該順位変更の登記の申請は、Ｄをも申請人としてしなければならない。

× **034**

抵当権の順位の変更の登記を申請する場合、当事者となる抵当権者全員の合意成立の日又は利害関係を有する者の承諾の日のいずれか後の日が登記原因の日付となる（昭46.12.24民甲3630号）。

× **035**

本肢の順位変更では甲及び丙のみを当事者とすることはできず、丙の抵当権の債権額や甲の債権額の多少にかかわらず順位変更の当事者には、甲、乙及び丙の三人が申請人となることが必要である。

× **036**

本肢の場合、Aは第1順位のまま順位に変動がないので、B及びCが合意の当事者となり、順位変更の登記を申請することになる。なお、順位が下降するBに順位を譲渡しているAは、申請人ではなく利害関係人となる。

× **037**

順位が下降するBの抵当権に対する転抵当権者Dは、利害関係人であり申請人とはならない。

038 □□□ 平9-25-オ（平16-19-4）

Aを順位1番、Bを順位2番、Cを順位3番とする各抵当権設定登記がされていたのを、Aを第1、Cを第2、Bを第3に変更する順位変更の登記がされた後に、元のとおり、Aを第1、Bを第2、Cを第3と変更するために、当該順位変更の登記の変更の登記の申請をすることができる。

039 □□□ 平16-19-1

抵当権の順位の変更の登記は、順位の変更の対象となる各抵当権の登記に付記してされる。

040 □□□ 平16-19-5

抵当権の順位の変更の仮登記の申請は、することができない。

041 □□□ 平18-23-ウ

抵当権の順位の変更の登記の抹消は、当該順位の変更に係る抵当権の登記名義人のすべてが申請しなければならない。

042 □□□ 平19-18-ア

抵当権の順位の変更の登記の申請は、順位が上昇する抵当権者を登記権利者、順位が下降する抵当権者を登記義務者としてする。

× **038**

既存の順位変更登記を更に変更する登記申請は認められず、別個の新たな順位変更登記の申請によらなければならない（昭46.10.4民甲3230号第一、四)。

× **039**

抵当権の順位変更の登記は、主登記によってされる。

○ **040**

抵当権の順位の変更は、その登記をしなければ効力を生じない(民374Ⅱ)。したがって、抵当権の順位変更の仮登記は、申請することができない。

○ **041**

順位変更登記の抹消登記は、順位変更登記を申請したときと同様、抹消する順位の変更に係る抵当権の登記名義人が共同して申請しなければならない（昭46.10.4民甲3230号第一、五)。

× **042**

抵当権の順位変更の登記の申請構造は、いわゆる合同申請であり、関係担保権者全員が共同して申請することを要する（89Ⅰ)。

⑤ 抵当権抹消・更正

共同申請による抹消

043 □□□ 平29-14-ウ改題（平6-22-1）

抵当権の登記名義人Ａ株式会社を消滅会社、Ｂ株式会社を存続会社とする吸収合併がされ、その後に、弁済により当該抵当権が消滅した。当該抵当権の登記の抹消を申請するときは、その前提として、当該合併を登記原因とするＡ株式会社からＢ株式会社への抵当権の移転の登記を申請しなければならない。

044 □□□ 平30-24-ア

抵当権の設定の登記がされている土地について、当該抵当権の登記名義人である株式会社Ａ銀行の代表者Ｂは、抵当権設定者Ｃと共に、登記原因証明情報として、支配人の登記がされていない株式会社Ａ銀行の支店長Ｄが作成した解除証書を提供して、当該抵当権の抹消の登記を申請することができる。

045 □□□ 平26-20-オ

抵当権の設定者である所有権の登記名義人Ａが死亡した後に当該抵当権が消滅した場合において、当該抵当権の設定の登記の抹消を申請するときは、その前提としてＡの相続人への所有権の移転の登記を申請しなければならない。

046 □□□ 平14-16-エ

債務の弁済により抵当権が消滅した後、抵当権設定登記が抹消されない間に抵当権者が死亡した場合、所有権の登記名義人は、抵当権者の相続人のうちの１名と共同して抵当権設定登記の抹消を申請することができる。

○ **043**

抵当権者である会社が他の会社に吸収合併された後にその被担保債権が弁済により消滅した場合には、合併による抵当権移転登記を経なければ抵当権抹消登記を申請することはできない（昭32.12.27民甲2440号）。

○ **044**

支配人の登記がされていない銀行支店長が作成した弁済証書又は解除証書を登記原因を証する情報として、銀行代表者から抵当権の登記の抹消を申請することができる（昭58.3.24民三2205号）。

○ **045**

抵当権設定者の死亡後に抵当権が消滅した場合において、当該抵当権の抹消を申請するには、前提として、抵当権設定者について相続の登記を申請することを要する（登研662-281）。

× **046**

この場合の抹消登記は、抵当権者の共同相続人全員が所有者とともに申請すべきものとされる（昭37.2.22民甲321号）。

047 □□□ 令3-21-ア

第１順位で設定の登記がされている抵当権が被担保債権の弁済により消滅したときは、第２順位で設定の登記がされている抵当権の登記名義人は、第１順位の抵当権の登記名義人と共同して、当該第１順位の抵当権の設定の登記の抹消の申請をすることができる。

048 □□□ 平19-18-オ

保証人の将来の求償債権を被担保債権とする抵当権の設定の登記がされている場合に、主たる債務者が債権者に弁済したことにより当該抵当権の登記の抹消を申請するときの登記原因は、弁済である。

049 □□□ 平23-18-イ

Ａ所有の不動産に、Ｂを抵当権者とする抵当権とＣを抵当権者とする抵当権が同順位で登記されており、ほかに後順位の抵当権が登記されていない場合において、ＢがＡから当該不動産の所有権を取得したときは、Ｂは、混同を登記原因としてＢを抵当権者とする抵当権の登記の抹消を申請することができる。

050 □□□ 平14-16-オ

混同により抵当権が消滅した後、抵当権設定登記が抹消されない間に所有権移転登記を受けた現在の所有権の登記名義人は、抵当権の登記名義人と共同して抵当権設定登記の抹消を申請することができる。

○ **047**

先順位の抵当権が被担保債権の弁済によって消滅した場合、後順位の抵当権者は、登記権利者として、登記義務者である先順位の抵当権者と共同して先順位抵当権の登記の抹消を申請することができる（昭31.12.24民甲2916号）。

× **048**

主債務を消滅させたことが求償権を担保する抵当権の消滅原因となるので、保証人の求償債権担保の抵当権設定登記後、主債務者が弁済をした場合の当該抵当権の抹消登記の登記原因は「主債務消滅」とする（登研126-43）。

× **049**

同一の不動産を目的とする同順位の数個の抵当権が設定されている場合において、そのうちの1個の抵当権者が当該土地の所有権を取得したとしても、混同は生じない（登研537-200）。

○ **050**

この場合の抵当権の抹消登記は、現在の所有権の登記名義人と抵当権の登記名義人との共同申請によるべきであるとされる（昭30.2.4.民甲226号）。

051 □□□ 令6-22-ウ（平4-29-4）

Ａを抵当権の登記名義人とする甲土地について、Ａが甲土地の所有権を取得したことにより当該抵当権が混同により消滅した後、当該抵当権の設定の登記の抹消がされない間にＡが死亡し、その相続人がＢ及びＣである場合において、混同を登記原因として当該抵当権の設定の登記の抹消を申請するときは、Ｂ及びＣを登記義務者としなければならない。

052 □□□ 平21-16-3

１番抵当権から２番抵当権への順位の譲渡の登記がされた後、２番抵当権の登記が抹消された場合、当該順位の譲渡の登記は、登記官の職権により抹消される。

053 □□□ 平2-19-1（平7-20-4）

順位２番抵当権のために順位譲渡の登記がされている順位１番抵当権の抹消登記の申請書には、２番抵当権の登記名義人の承諾書を添付することを要しない。

054 □□□ 平21-16-4

１番抵当権から２番抵当権への順位の放棄の登記がされた後、１番抵当権を第２順位、２番抵当権を第１順位とする順位の変更の登記がされた場合、当該順位の放棄の登記は、登記官の職権により抹消される。

○ **051**

抵当権者であるAが、当該抵当権の設定の登記がされている甲土地の所有権を取得したことにより当該抵当権が混同により消滅した後、抵当権の設定の登記の抹消を申請することなく死亡した場合において、当該抵当権の登記の抹消を申請するときは、Aの相続人全員が登記義務者となる（登研814-127）。

○ **052**

１番抵当権から２番抵当権への順位の譲渡の登記がされた後、２番抵当権の登記が抹消された場合、当該順位の譲渡の登記は、登記官の職権により抹消される（平28.6.8民二386号記録例453）。

× **053**

１番抵当権と２番抵当権との間に法定納期限を基準として国税債権の存在が予想されるので、国税債権との優劣を考慮した場合には、先順位抵当権の抹消により、順位譲渡を受けた後順位抵当権者の利益が害されるので、１番抵当権の登記の抹消の申請情報には、２番抵当権の登記名義人の承諾を証する情報を提供することを要する（昭37.8.1民甲2206号参照）。

× **054**

順位の変更に係る抵当権に関してされている順位譲渡等の登記は、順位の変更によりその意義を失うこととなる場合でも、これを職権で抹消するのは相当でない（昭46.12.27民三960号）。

055 □□□　平元-15-2（平19-25-ア）

地上権を目的とする抵当権設定の登記がある場合において、その地上権設定の登記の抹消を申請するには、あらかじめ抵当権設定の登記を抹消しなければならない。

単独申請の特則

056 □□□　令3-21-オ

登記義務者の所在が知れないため不動産登記法第70条第４項後段の規定による権利に関する登記の抹消の申請をする場合において、当該権利が抵当権であるときは、当該抵当権の被担保債権の元本及び最後の２年分についての遅延損害金に相当する金銭を供託したことを証する情報を提供して、当該抵当権の設定の登記の抹消の申請をすることができる。

057 □□□　平14-16-イ

抵当権者の所在が知れない場合において、被担保債権の弁済期から20年を経過したときは、所有権の登記名義人は、申請書に弁済期を証する書面及び供託書正本を添付すれば、単独で抵当権設定登記の抹消を申請することができる。

× **055**

地上権設定登記を抹消する場合、利害関係人（抵当権者）が存在する場合には、申請情報と併せて登記上の利害関係人の承諾を証する当該利害関係人が作成した情報又は当該利害関係人に対抗することができる裁判があったことを証する情報を提供しなければならない（68、不登令別表26項添ト）。本肢の抵当権者もこの利害関係人に該当するので、あらかじめ抵当権の登記を抹消する必要はないことになる。

× **056**

抵当権の登記名義人の所在が知れないため、70条４項後段の規定に基づいて、抵当権の設定者が単独で当該抵当権の登記の抹消を申請する場合、弁済期から20年を経過した後に被担保債権、その利息及び債務不履行により生じた損害の全額に相当する金銭が供託されたことを証する情報を提供することを要する（不登令７Ⅰ⑤ロ、不登令別表26項添ニ（2））。

× **057**

本肢の場合、添付情報として「登記義務者の所在が知れないことを証する情報」が挙げられていない点で誤りとなる（70Ⅳ後段、不登令別表26項添ニ）。

058 □□□　　平17-26-ア

抵当権の登記名義人が法人である場合には、所有権の登記名義人は、当該法人の所在が知れないことを理由として、不動産登記法第70条第４項後段の規定に基づき、単独で当該抵当権の登記の抹消を申請することはできない。

059 □□□　　平17-26-ウ

一部代位弁済による根抵当権の一部移転の登記がされている場合には、所有権の登記名義人は、極度額から代位弁済がされた額を除いた額並びにその利息及び遅延損害金に相当する額を供託することにより、不動産登記法第70条第４項後段の規定に基づき、単独で当該根抵当権の登記の抹消を申請することができる。

060 □□□　　平17-26-エ

所有権の登記名義人は、抵当権の登記名義人が死亡したことは判明しているが、その相続関係が不明な場合には、不動産登記法第70条第４項後段の規定に基づき、単独で当該抵当権の登記の抹消を申請することはできない。

061 □□□　　平17-26-オ

所有権の登記名義人は、停止条件付き債権を被担保債権とする抵当権の設定の仮登記について、当該停止条件が成就している場合に限り、不動産登記法第70条第４項後段の規定に基づき、単独で登記の抹消を申請することができる。

× 058

抵当権の登記名義人が法人である場合であっても、所有権の登記名義人は、単独で当該抵当権の登記の抹消を申請することができる（昭63.7.1民三3456号）。

× 059

一部代位弁済による根抵当権の一部移転がされている場合、所有権の登記名義人は極度額から代位弁済がされた額を除いた額並びにその利息及び損害金に相当する額を供託しても、被担保債権の全額を供託していないため、70条４項後段の規定に基づき当該根抵当権の登記の抹消を申請することはできない。

× 060

担保権の登記名義人が死亡したことは判明しているが、その相続関係が不明な場合にも、70条４項の規定が適用される（登研488-65）。

○ 061

70条４項後段の規定は、担保権設定の仮登記のうち、105条１号の仮登記にはすべて適用されるが、同条２号の仮登記については、既発生の債権を担保するものについて適用される（登研493-133）。

抵当権更正

062 □□□　平18-12-1

無利息の定めのある債権を被担保債権とする抵当権の設定の登記に無利息である旨が登記されていないときは、無利息である旨を登記する更正の登記を申請することはできない。

063 □□□　平6-23-イ（平12-18-2、令2-21-ウ）

債務者をAとする抵当権設定登記がされている場合に、錯誤を原因として、債務者をBとする抵当権の更正の登記の申請をすることはできない。

064 □□□　令2-21-ウ（平17-20-ア）

Aを債務者と表記すべきところ、誤ってBを債務者と表記した抵当権設定契約書に基づき、Bを債務者とする抵当権の設定の登記がされた場合は、錯誤を登記原因として当該抵当権の債務者をAとする抵当権の更正の登記を申請することができる。

× **062**

抵当権の更正登記は、更正の前後を通じて抵当権としての同一性が保たれていることを要する。無利息の定めのある債権を被担保債権とする抵当権の設定の登記に無利息である旨が登記されていないときは、無利息である旨を登記する更正の登記を申請することはできる。

× **063**

抵当権設定契約とその登記において、債務者を誤った場合、錯誤を原因として債務者を更正する登記を申請することができる（昭37.7.26民甲2074号）。

○ **064**

抵当権の設定の登記において、債務者Aとすべきものを錯誤により全くの別人であるBと登記した場合には、抵当権の更正の登記を申請することができる（昭37.7.26民甲2074号）。なぜなら、債務者の表示が変わったとしても、更正の前後を通じて抵当権の登記の同一性は保たれているからである。

❻ 抵当証券

065 □□□　平20-14-ウ（平元-22-3）

所有権の移転の仮登記がされた後に抵当証券の発行されている抵当権の設定の登記がされた場合において、当該仮登記に基づく本登記をする場合、抵当証券を提供しなければならない。

066 □□□　平17-20-オ

抵当証券が発行されている抵当権の登記について、債務者は、当該抵当証券を提供することなく、債務者の氏名若しくは名称又は住所についての更正の登記を単独で申請することができる。

○ **065**

仮登記に基づく所有権移転本登記がされると、仮登記に後れる抵当権の登記は登記官の職権で抹消されることになる（109Ⅱ）。そして、当該抵当権の抵当証券が発行されている場合には、抵当証券を回収する必要があり、本登記の際に抵当証券を提供しなければならない（不登令別表69項添イロ）。

○ **066**

抵当証券が発行されている抵当権の登記について、債務者は当該抵当証券を提供することなく、債務者の氏名若しくは名称又は住所についての更正登記を単独で申請することができる（64Ⅱ、不登令別表24項参照）。

第4編

根抵当権に関する登記

1 根抵当権設定

根抵当権設定

001 □□□ 平16-18-オ

被担保債権が質入れされた場合において、当該担保権が、抵当権であるときは債権質入れの登記を申請することができるが、確定前の根抵当権であるときは債権質入れの登記を申請することはできない。

002 □□□ 平18-23-エ改題

根抵当権者が数人ある根抵当権の設定の登記を申請するときは、当該根抵当権者ごとの持分を申請情報の内容として提供しなければならない。

003 □□□ 平31-21-オ

Aを所有権の登記名義人とする甲土地について、Bを根抵当権者とする根抵当権の設定の登記を申請する場合において、登記原因証明情報である根抵当権設定契約証書に、被担保債権の範囲として「平成30年6月6日リース取引等契約」との表示がされているときであっても、「平成30年6月6日リース取引等契約」を当該根抵当権の債権の範囲として登記の申請をすることはできない。

004 □□□ 平31-21-エ

Aを所有権の登記名義人とする甲土地について、Bを根抵当権者とする根抵当権の設定の登記の申請をする場合において、登記原因証明情報である根抵当権設定契約証書に、根抵当権者が死亡したときは根抵当権が消滅する旨の定めが記載されているときは、当該定めを当該根抵当権の消滅に関する定めとして登記の申請をすることができる。

× **001**

抵当権及び確定前の根抵当権のいずれも、被担保債権が質入れされた場合の債権質入れの登記を申請することができる（昭55.12.24民三7175号）。

× **002**

共有の根抵当権の設定登記の申請情報には、各根抵当権者の持分の記録をすることを要しない（不登令3⑨括弧書、昭46.10.4民甲3230号第十二、一参照）。

× **003**

「年月日リース取引等契約」を債権の範囲として根抵当権の設定の登記を申請することができる（平元.4.26民三1654号）。

○ **004**

根抵当権の設定の登記を申請する場合において、登記原因証明情報である根抵当権設定契約証書に、根抵当権者が死亡したときは根抵当権が消滅する旨の定めが記載されているときは、当該定めを根抵当権の消滅に関する定めとして登記の申請をすることができる（59⑤）。

005 □□□　平13-27-ア

根抵当権設定契約書に確定期日として設定契約の日より５年を超える日が記載されている場合でも、申請書に５年以内の日を記載して根抵当権設定登記を申請することができる。

共同根抵当権設定

006 □□□　平16-18-イ（平18-23-オ）

Ａ登記所の管轄に属する甲物件及びＢ登記所の管轄に属する乙物件に共同担保権が設定された後に、Ｃ登記所の管轄に属する丙物件を追加設定する場合において、当該共同担保権が、抵当権であるときは前の登記に関する登記事項証明書を添付する必要はないが、確定前の根抵当権であるときは前の登記に関する登記事項証明書を添付する必要がある。

007 □□□　平21-26-オ（平2-22-4）

甲土地及び乙土地を目的として、同一の債権を担保するため累積的に根抵当権の設定の登記がされている場合、甲土地及び乙土地についての追加担保としてされる丙土地を目的とする根抵当権の設定の登記を申請することにより、これら三つの不動産を共同担保とすることができる。

× 005

元本の確定期日として、確定期日を定めた日又は確定期日を変更した日より５年を超える日が登記原因証明情報（根抵当権設定契約書又は根抵当権変更契約書など）の内容とされている場合においては、申請情報の方だけ５年以内の日としたとしても、当該申請は受理されない。

○ 006

根抵当権の追加設定登記を申請する場合において、前の登記に他の登記所の管轄に属する不動産があるときは、申請情報と併せて前の登記に関する登記事項証明書を提供しなければならない（不登令別表56項添ロ）。これに対して、抵当権の申請においては、この前の登記に関する登記事項証明書の提供は不要である。

× 007

甲土地及び乙土地を目的として、同一の債権を担保するため累積的に根抵当権の設定の登記がされている場合、甲土地及び乙土地の追加担保としてされる丙土地を目的とする共同根抵当権の設定の登記を申請することはできない（昭46.10.4民甲3230号）。

008 □□□ 平15-26-エ

同一の登記所の管轄に属する甲土地及び乙土地を目的として共同根抵当権設定登記がされている場合、登記上の利害関係人の承諾を得れば、甲土地の根抵当権と乙土地の根抵当権とを共同担保の関係にない根抵当権に変更する登記を申請することができる。

009 □□□ 平8-15-ウ

一部弁済後の債権を債権額とする債権額の異なる抵当権の追加設定の登記をすることができる。また、極度額の異なる根抵当権の追加設定の登記をすることができる。

010 □□□ 平15-26-オ

同一の登記所の管轄に属する甲土地及び乙土地を目的として共同根抵当権設定登記を申請する場合、各根抵当権の被担保債権の範囲、債務者及び極度額は同一でなければならないが、確定期日は異なる日とすることができる。

011 □□□ 平11-22-ア

共同根抵当権の設定登記がされている甲・乙不動産のうち、甲不動産についてのみ極度額の増額登記がされている場合、変更後の極度額による丙不動産に対する追加共同根抵当権の設定登記を申請することはできない。

× **008**

共同根抵当権として設定されたものをその後、共同担保関係から累積式根抵当権とすることは認められていない（昭46民改附則9条参照）。

× **009**

既存の抵当権と債権額を異にする抵当権の追加設定登記も申請することができる（昭38.1.29民甲310号）。一方、根抵当権においては、その要素である被担保債権の範囲・極度額・債務者が同一でなければ、根抵当権の追加設定登記をして共同担保関係を成立させることはできない。

○ **010**

共同根抵当権においては、共同担保関係の成立要件として、被担保債権の範囲、極度額及び債務者が同一であることが必要である（民398の17Ⅰ）が、確定期日（民398の6）は不動産ごとに異なっていても差し支えない。

○ **011**

本肢のように登記記録上で甲・乙不動産の極度額が異なる場合は、丙不動産についての追加担保としてする根抵当権設定の登記の申請はすることができない（登研362-83）。

012 □□□　平11-22-オ（平21-26-エ）

準共有の共同根抵当権の設定登記がされている甲・乙不動産のうち、甲不動産についてのみ優先の定めの登記がされている場合、丙不動産に対する追加共同根抵当権設定の登記を申請することはできない。

013 □□□　平12-16-オ（平18-23-ア）

根抵当権の債務者が住所を変更した場合、債務者の住所の変更登記をしなければ、当該根抵当権に別の不動産を追加設定する登記を申請することはできない。

014 □□□　平26-23-ウ（平30-24-エ）

根抵当権の債務者の住所について地番変更を伴わない行政区画の変更がされた場合において、共同根抵当とする根抵当権の設定の登記を申請するときは、その前提として、債務者の住所の変更の登記を申請しなければならない。

015 □□□　平17-19-イ

甲地について設定の登記がされた根抵当権の元本が確定した後に、乙地について同一の債権を被担保債権とする根抵当権の設定の契約をしたときは、乙地について甲地と共同根抵当権とする根抵当権の設定の登記を申請することができる。

× **012**

共同根抵当権の追加設定の登記を申請する場合、優先の定めは不動産ごとに異なっていても差し支えない。

○ **013**

根抵当権の追加設定の場合は、前に登記された根抵当権と追加設定する根抵当権の同一性が厳格に審査されるので、債務者の氏名又は名称及び住所に変更があったときは、前提として債務者の氏名又は名称及び住所の変更登記をしなければならない（登研545-154・553-133）。

× **014**

前の登記の債務者の住所について、区制施行などの地番変更を伴わない行政区画の変更が行われた場合は、前の登記の債務者の変更の登記の申請をすることなく、追加設定の登記を申請することができる（登研755-149）。

× **015**

既登記の根抵当権の元本が確定した後に、当該根抵当権と同一の債権を被担保債権とする根抵当権の設定契約は、根抵当権の設定契約と解することはできず、普通抵当権の設定契約と解することになる。したがって、当該登記を申請することはできない（平元.9.5民三3486号）。

② 根抵当権移転

016 □□□ 平14-20-3

元本確定後の根抵当権について債権譲渡を原因として、根抵当権移転を目的とする登記の申請をすることができる。

017 □□□ 平14-20-1

元本確定後の根抵当権について一部譲渡を原因として、根抵当権一部移転を目的とする登記の申請をすることができる。

018 □□□ 平21-26-ア

根抵当権の一部譲渡を受けた者を債権者とする差押えの登記がされている場合は、根抵当権の元本の確定の登記がされていなくても、債権譲渡を原因とする第三者への根抵当権の移転の登記を申請することができる。

019 □□□ 平11-22-エ（平20-21-エ）

甲・乙不動産について設定された共同根抵当権の全部譲渡の登記の申請は、その譲渡についての設定者の承諾が甲・乙不動産で異なる日付でされている場合であっても、一つの申請情報ですることができる。

020 □□□ 平20-21-ア（平26-23-オ）

根抵当権の全部譲渡の契約及び承諾の日がいずれも元本の確定前の日であれば、元本の確定の登記がされた後においても、根抵当権の移転の登記をすることができる。

○ 016

元本の確定した根抵当権は、普通抵当権と同じく、担保権の随伴性によりその被担保債権とともに移転する。したがって、元本確定後は、債権譲渡を原因として、根抵当権の移転の登記を申請することができる。

× 017

根抵当権の一部譲渡は、元本確定前に限りすることができる（民398の13）。

○ 018

根抵当権者を債権者とする差押えの登記がされている場合、元本の確定が登記記録上明らかであるから、元本確定の登記がされていなくても、元本確定後のみにすることができる根抵当権の移転の登記を申請することができる（民398の20Ⅰ①、昭46.12.27民三960号参照）。

○ 019

本肢の場合、設定者の承諾の日付が異なっても登記の目的が同一であれば一の申請情報で共同根抵当権の全部譲渡の登記を申請することができる（不登令4但書、不登規35⑩）。

× 020

根抵当権の全部譲渡による移転の登記の申請は、元本の確定前にのみすることができる（民398の12Ⅰ参照）。登記原因の日付が元本の確定前であっても、確定後においては受理されない。

021 □□□ 平14-20-4

元本確定前の根抵当権について根抵当権持分譲渡を原因として、根抵当権一部移転を目的とする登記の申請をすることができる。

022 □□□ 平6-13-エ（平20-21-オ）

元本の確定前に、根抵当権の共有者の権利についての譲渡による移転の登記を申請する場合には、申請書に、根抵当権設定者の承諾及び他の共有者の同意を証する書面を添付しなければならない。

023 □□□ 平26-23-イ

根抵当権の共有者の権利を第三者へ全部譲渡する場合において、その旨の根抵当権の共有者の権利移転の登記を申請するときは、当該根抵当権を目的とする転抵当権者の承諾を証する情報を提供しなければならない。

024 □□□ 平10-21-オ（平20-14-イ、平26-23-エ）

根抵当権の共有者の１人がその権利を放棄し、他の共有者にその権利が移転した場合、当該権利の移転登記の申請書には、根抵当権設定者の承諾書を添付しなければならない。

× **021**

元本確定前の共有根抵当権については、その共有者の権利の全部を根抵当権設定者の承諾及び他の共有者の同意を得て譲渡することができる（民398の14Ⅱ・398の12Ⅰ）。この場合の登記の目的は「何番根抵当権共有者何某の権利移転」、登記原因は「譲渡」である。

○ **022**

本肢の場合、根抵当権の共有者の一部に変動が生じるため設定者の承諾及び他の共有者の同意が、実体上、効力要件として要求されている（民398の14Ⅱ）。これに対応して、登記申請に際しても、根抵当権設定者の承諾をしたことを証する情報及び他の共有者の同意をしたことを証する情報の提供が要求されている（不登令7Ⅰ⑤ハ）。

× **023**

根抵当権の共有者の権利移転（民398の14Ⅱ）の登記申請においては添付情報として、根抵当権設定者の承諾を証する情報及び他の根抵当権共有者の同意を証する情報の提供を要するが、転抵当権者の承諾を証する情報の提供は要しない。

× **024**

本肢の場合、共有者の１人がその権利を放棄したのであって、民法398条の14第２項に規定する根抵当権の共有者の権利の譲渡に当たらないので、設定者の承諾したことを証する情報の提供は不要である（登研490-145参照）。

025 □□□ 平10-21-ア

A名義の根抵当権をA名義の根抵当権、B名義の根抵当権及びC名義の根抵当権の3個に分割しようとする場合、当該登記を1個の申請ですることはできない。

026 □□□ 平30-24-ウ

Aを根抵当権の登記名義人とする元本確定前の根抵当権についてBへの分割譲渡の登記を申請するときは、申請情報の内容として提供する極度額はBを根抵当権の登記名義人とする根抵当権の極度額で足りる。

027 □□□ 平10-21-イ

根抵当権者を変更することなく2個の根抵当権に分割し、一方の根抵当権の債務者を変更する登記を申請することはできない。

028 □□□ 平21-26-イ

A及びBが準共有する元本の確定前の根抵当権について、一の申請情報により分割譲渡を原因として直ちにA及びBそれぞれ単有の根抵当権とする旨の登記を申請することができる。

029 □□□ 平23-20-ウ（平6-13-ア）

A及びBを根抵当権者とする共有の根抵当権において、共有者Aの権利の一部に関し、Cに対する一部譲渡を登記原因とする根抵当権の一部移転の登記を申請することができる。

○ **025**

根抵当権の分割譲渡とは、元本の確定前に根抵当権を２個に分割し、その一方を第三者に全部譲渡するものである（民398の12Ⅱ）。したがって、根抵当権を直ちに３個に分割することはできず、当該登記を１個の申請ですることはできない。

× **026**

元本の確定前においては、根抵当権者は、その根抵当権を２個の根抵当権に分割し、その一方を譲渡することができる（民398の12Ⅱ）。そして、当該分割譲渡の登記を申請する場合、分割譲渡後の各根抵当権の極度額を申請情報の内容として提供しなければならない（不登令別表60項申ハ）。

○ **027**

根抵当権者を変更することなく、分割のみをするだけで第三者に譲渡しないことは無意味であり認められない。そして、分割ができない以上、分割後の一方の根抵当権の債務者を変更する登記を申請することはできない。

× **028**

Ａ及びＢが準共有する元本の確定前の根抵当権について、一の申請情報により分割譲渡を原因として直ちにＡ及びＢそれぞれ単有の根抵当権とする旨の登記を申請することはできない（昭46.12.27民三960号）。

× **029**

根抵当権の共有者の権利についての一部譲渡による移転の登記の申請はすることができない（昭46.10.4民甲3230号）。したがって、共有者Ａの権利の一部に関し、Ｃに対する一部譲渡を登記原因とする根抵当権の一部移転の登記は申請することができない。

根抵当権に関する登記
❷ 根抵当権移転

030 □□□ 平10-21-エ

A・B共有の根抵当権をB・C・D三者の共有にするためには、根抵当権の一部譲渡の登記とAの権利の移転登記とを申請しなければならない。

031 □□□ 平25-25-ウ

A株式会社（以下「A社」という。）を吸収分割株式会社とし、B株式会社（以下「B社」という。）を吸収分割承継株式会社とする吸収分割があった場合において、A社を根抵当権者とする元本の確定前の根抵当権について、吸収分割契約においてB社を当該根抵当権の根抵当権者と定めたときは、分割契約書を提供すれば、会社分割を登記原因として、根抵当権者をB社のみとする根抵当権の移転の登記を申請することができる。

○ **030**

本肢の場合、共有者A・BのうちAが自己の権利をC・D２名に譲渡し、直ちにB・C・Dの共有とすることはできない。この場合は、民法398条の14第２項の権利移転と一部譲渡を併用する必要がある。例えば、A・Bが協力してCに一部譲渡した後Aが自己の権利をDに全部譲渡する方法、又は、Aが自己の権利をCに全部譲渡した後B・CがDに一部譲渡する方法などが考えられる。

× **031**

元本の確定前に根抵当権者を分割会社とする会社分割があった場合には、当該根抵当権は法律上当然に共有根抵当権となるので（平13.3.30民二867号）、分割契約書において当該根抵当権者を承継会社のみとする定めがされている場合であっても、根抵当権の承継会社への一部移転登記をした上で、所要の登記をすることとなる（同先例）。

❸ 根抵当権変更

032 □□□　　平16-18-エ

被担保債権について第三者による免責的債務引受けがあった場合において、当該担保権が、抵当権であるときは「年月日免責的債務引受」を登記原因として債務者の変更の登記を申請することができ、確定前の根抵当権であるときは「年月日変更」を登記原因として債務者の変更の登記を申請することができる。

債権の範囲の変更

033 □□□　　平23-20-イ（平13-16-イ）

Ａが所有する不動産にＢ銀行株式会社を根抵当権者とする根抵当権の設定の登記がされていた場合において、当該根抵当権がＣ銀行株式会社に全部譲渡され、同時に、ＡとＣ銀行株式会社との間で、債権の範囲を「銀行取引」から「手形貸付取引」に変更する契約がされたときは、当該根抵当権の変更の登記の申請においては、Ａが権利者、Ｃ銀行株式会社が義務者となる。

034 □□□　　平31-21-ウ

Ａを所有権の登記名義人とする甲土地について、Ｂを根抵当権の登記名義人とし、債権の範囲を「証書貸付取引　当座貸越取引」とする根抵当権の登記がされている場合において、Ａ及びＢが元本の確定前に債権の範囲を「銀行取引」とする合意をしたときは、Ａを登記権利者、Ｂを登記義務者として、当該根抵当権の変更の登記の申請をすることができる。

× **032**

抵当権の被担保債権について第三者による免責的債務引受けがあった場合には、「年月日免責的債務引受」を登記原因として債務者の変更登記を申請することができる。これに対して、確定前の根抵当権においては随伴性が否定されており、免責的債務引受けがあったときでも、根抵当権の債務者の変更の合意がない限り債務者の変更登記を申請することはできない（民398の7Ⅱ・Ⅲ参照）。

○ **033**

債権の範囲を変更する根抵当権変更の登記は、原則として根抵当権者が登記権利者、設定者が登記義務者となって申請するが、変更により債権の範囲が縮減することが明らかである場合には、設定者が登記権利者、根抵当権者が登記義務者となって申請する（昭46.10.4民甲3230号）。そして、債権の範囲を「銀行取引」から「手形貸付取引」とする変更は、変更により債権の範囲が縮減することが明らかである場合に該当する（昭46.12.27民三960号）。

× **034**

根抵当権の債権の範囲を、「証書貸付取引　当座貸越取引」から「銀行取引」に変更するときは、債権の範囲の縮減が形式的に明らかな場合に該当しない（昭46.12.27民三960号）。したがって、本肢の場合、原則どおり根抵当権者Bを登記権利者、設定者Aを登記義務者として申請しなければならない。

035 □□□ 平16-20-ア

確定前の根抵当権の担保すべき債権の範囲の変更について、根抵当権者と根抵当権設定者が合意した後に債務者が破産手続開始の決定を受けた場合でも、破産手続開始の決定の確定前であれば、根抵当権の債権の範囲の変更の登記を申請することができる。

036 □□□ 平16-20-ウ（平12-13-4）

Ａ及びＢが準共有する確定前の根抵当権について、Ａのみについて債権の範囲を変更した場合には、Ａと根抵当権設定者との共同申請により、根抵当権変更の登記を申請することができる。

037 □□□ 平4-23-4（平12-13-1、平13-17-エ）

債務者Ａ・ＢのうちＡについて相続が開始し、民法第398の８条第２項の指定債務者の合意の登記をしないうちに６か月が経過した場合にあっては、当該根抵当権の元本は確定しないから、その後において債権の範囲の変更の登記の申請をすることができる。

× **035**

根抵当権の債務者が破産手続開始の決定を受けたときは、決定が確定する前であっても根抵当権の元本は確定する（民398の20Ⅰ④）ため、債権の範囲の変更の登記を申請することはできない。

× **036**

準共有根抵当権における準共有者の１人のためにする債権の範囲の変更の登記は、準共有者全員と設定者が共同で申請しなければならない。

○ **037**

債務者Ａ・ＢのうちＡについて相続が開始し、合意の登記をしないうちに6か月が経過した場合は、債務者Ａの相続開始後の相続人との取引により生じた債務は担保されない（民398の8Ⅳ）が、債務者Ｂとの根抵当取引は依然として継続するので、根抵当権全体として元本が確定することはない。したがって、債権の範囲の変更登記を申請することができる（民398の４Ⅰ前段）。

債務者の変更

038 □□□　令2-13-オ（平23-20-オ）

根抵当権の元本の確定前に債務者を吸収分割会社とする吸収分割があった場合には、分割計画書に当該根抵当権で担保すべき債権の範囲について会社分割後に吸収分割承継会社が負担する債務のみとする旨の定めがあるときであっても、当該定めに従った当該根抵当権の変更の登記の前提として、会社分割を原因とする債務者を吸収分割会社及び吸収分割承継会社とする根抵当権の変更の登記の申請をしなければならない。

039 □□□　平25-25-オ

A株式会社（以下「A社」という。）を吸収分割株式会社とし、B株式会社（以下「B社」という。）を吸収分割承継株式会社とする吸収分割があった場合において、A社を債務者とする元本の確定前の根抵当権について、B社に対して根抵当権者が吸収分割前から有する債権を当該根抵当権の被担保債権とするときは、会社分割を登記原因とする債務者の変更の登記の後、債権の範囲の変更の登記を申請しなければならない。

○ **038**

元本の確定前に根抵当権者又は根抵当権の債務者を分割会社とする会社分割があった場合には、その根抵当権は、法律上当然に、準共有又は共用根抵当権になるものとされているため、分割計画書又は分割契約書において当該根抵当権の帰属や被担保債権の範囲について上記と異なる定めがされている場合であっても、当該定めに従った登記の前提として、会社分割による根抵当権の一部移転の登記又は**共用根抵当権とする根抵当権の債務者の変更の登記を申請することを要する**（平13.3.30民二867号）。

○ **039**

元本確定前に債務者を分割会社とする会社分割があった場合には、当該根抵当権は法律上当然に共用根抵当権となり（平13.3.30民二867号）、分割時に存する債務のほか、分割会社及び設立会社又は承継会社が分割後に負担する債務を担保する（民398の10Ⅱ）。このため、分割契約書において当該根抵当権の被担保債権の範囲について上記と異なる定めがされている場合であっても、**会社分割を登記原因とする債務者変更の登記をした上で、所要の登記をすることとなる**（平13.3.30民二867号）。

確定期日の変更

040 □□□　平16-20-イ（平19-19-エ、令2-20-エ）

「平成16年３月31日」を確定期日とする登記がされている確定前の根抵当権について、同年３月20日に根抵当権者と根抵当権設定者との間で確定期日を「平成18年３月31日」と変更した場合には、平成16年４月1日以降であっても、確定期日の変更の登記を申請することができる。

優先の定め

041 □□□　平17-19-ウ

元本の確定前に根抵当権の共有者間の優先弁済を受ける旨の定めをしたときは、元本の確定後であっても、当該定めの登記を申請することができる。

042 □□□　平9-23-エ（平6-13-ウ、平26-23-ア）

根抵当権の共有者の一人が優先弁済を受ける旨の定めの登記は、根抵当権設定者が申請人にならず、かつ、申請書に根抵当権設定者の承諾書の添付も要しない。

× 040

当初の確定期日前に根抵当権者と設定者との間で新たに確定期日の変更をしていた場合であっても、その旨の登記をせずに当初の確定期日が到来した後は、元本は当初の確定期日において確定し(民398の6Ⅳ・Ⅰ)、確定期日の変更の登記を申請することはできない。

○ 041

優先の定めの登記は、その定めの新設・変更の日付が元本の確定前の日であれば、根抵当権の元本確定後でも申請することができる。

○ 042

根抵当権の共有者間の優先の定めの登記は、順位変更の登記の規定の準用により、合意の当事者である根抵当権の共有者全員が共同して申請する(89Ⅱ)。優先の定めは、根抵当権者間の優先弁済の割合を定めるにすぎず根抵当権設定者は何ら不利益を受けないのでその承諾は不要であり、登記の申請人にもならない。

043 □□□ 平31-21-ア

Aを所有権の登記名義人とする甲土地について、Aを根抵当権の設定者とし、B及びCを根抵当権者とする共有の根抵当権の設定の契約をするとともに、BとCとの間で当該根抵当権の元本確定後における優先弁済を受ける割合につき、各自の被担保債権の割合と異なる割合による旨の定めをしたときは、当該根抵当権の設定の登記及び根抵当権の共有者間の優先の定めの登記は、一の申請情報によって申請することができる。

極度額の変更

044 □□□ 平30-24-オ

共同根抵当権の設定の登記がされている甲土地及び乙土地について、極度額の変更による当該根抵当権の変更の登記の申請をする場合において、その極度額を変更する契約の締結日の翌日に甲土地の利害関係人が承諾し、更にその翌日に乙土地の利害関係人が承諾したときは、当該根抵当権の変更の登記の申請は、一の申請情報ですることができない。

045 □□□ 平11-22-ウ

甲・乙不動産について、共同根抵当権の設定登記後に債務者及び被担保債権の範囲の変更契約をした場合、乙不動産についてその変更登記が未了であっても、甲・乙不動産について、極度額の変更登記を申請することができる。

× 043

根抵当権の設定の登記と根抵当権の共有者間の優先の定めの登記は、一の申請情報によって申請することはできない（昭46.10.4民甲3230号）。

× 044

同一の登記所の管轄区域内にある複数の不動産を目的とする共同根抵当権の担保すべき債権の範囲、債務者若しくは極度額の変更又はその譲渡若しくは一部譲渡の登記の申請は、各不動産についての登記原因の日付が異なる場合であっても、これを一の申請情報で申請することができる（昭46.10.4民甲3230号）。

○ 045

共同根抵当権の設定後に、債務者及び被担保債権の範囲の変更契約をし、一部の担保物についてその変更登記が未了の場合であっても、共同担保物件すべてについて、極度額の変更登記を申請することができる（登研502-157）。

046 □□□ 平16-20-エ

共同根抵当権が設定されている甲不動産及び乙不動産について、極度額を増額する旨の契約がされ、甲不動産について変更の登記がされた後に、乙不動産について変更の登記をする前に後順位の抵当権設定の登記がされた場合には、この抵当権者の承諾書を添付すれば、乙不動産についての極度額増額の変更の登記を申請することができる。

047 □□□ 平31-21-イ

Aを所有権の登記名義人とする甲土地及び乙土地について、共同根抵当権の設定の登記がされ、その後それぞれ根抵当権の元本の確定の登記がされている場合において、甲土地についてのみAによる極度額の減額請求がされ、その極度額の減額請求につき登記上の利害関係人が存しないときは、当該極度額の減額請求がされた日を登記原因の日付として、乙土地についての根抵当権の変更の登記の申請をすることができる。

抵当権の処分が根抵当権でも可能か？

048 □□□ 平16-18-ア

先順位の抵当権が設定されている場合において、後順位の担保権が、抵当権であるときは順位の放棄を受けてその登記を申請することができるが、確定前の根抵当権であるときは順位の放棄を受けてその登記を申請することはできない。

○ **046**

根抵当権について極度額の増額変更契約後、その登記を申請する前に後順位の抵当権設定登記がされた場合、当該後順位抵当権者は利害関係人となる。登記官は申請時における登記記録により利害関係人を判断するからである（昭46.10.4民甲3230号第五）。

○ **047**

共同根抵当権である旨の登記がされている根抵当権は、1個の不動産について極度額の減額請求があったときは、すべての不動産にその効果が及ぶ（民398の21Ⅱ参照）。したがって、甲土地についてのみ極度額の減額請求がされた場合であっても、当該極度額の減額請求がされた日を登記原因の日付として、乙土地についての根抵当権の変更の登記を申請することができる。

× **048**

後順位の抵当権は、先順位の抵当権から順位の放棄を受けて（民376Ⅰ）、その登記を申請することができる。また、確定前の根抵当権については、順位の放棄をすることはできない（民398の11Ⅰ本文・376Ⅰ）が、順位の放棄を受けることはできる（民398の15）。

049 □□□ 平16-18-ウ

担保権者について相続が開始し、共同相続人の中に自らの相続分を超える遺贈を受けた者がいる場合において、この者は、相続を原因とする担保権移転の登記につき、当該担保権が、抵当権であるときは登記の申請人となることはないが、確定前の根抵当権であるときは登記の申請人となることがある。

○ **049**

抵当権者の共同相続人の中に特別受益を得ているため受けるべき相続分を持たない者がいる場合には（民903Ⅱ）、この者は相続により抵当権を取得せず、抵当権移転登記の申請人となることはない。これに対して、確定前の根抵当権においては、特別受益者は既発生の債権を取得しないだけであり、指定根抵当権者の指定を受けることのできる地位は承継するため、相続による根抵当権移転登記の申請人となることがある（昭46.12.27民三960号参照）。

4 確定前の根抵当権の相続に関する登記

050 □□□　平10-22-ア

元本確定前の根抵当権につき、根抵当権者に相続が発生した場合、相続による根抵当権の移転登記については、相続放棄をした者は、申請人とはならない。

051 □□□　平4-23-1（平13-17-イ）

元本の確定前に債務者について相続が開始した場合における民法第398条の８第２項の指定債務者の合意の登記は、あらかじめ相続による債務者の変更の登記をした後でなければ、することはできない。

052 □□□　平10-22-イ（令5-24-イ）

元本確定前の根抵当権につき、根抵当権者に相続が発生した場合、遺産分割協議書に、相続人の一人が既発生の債権を相続しない旨が記載されている場合、当該相続人を指定根抵当権者とする合意の登記は、申請することができない。

053 □□□　平12-12-ウ

指定債務者の合意の登記がされた後に、共同根抵当権の追加設定登記を申請する場合、申請書に記載する債務者は、指定債務者である。

○ **050**

元本確定前の根抵当権について根抵当権者に相続が開始したときは、相続による根抵当権の移転登記を申請する必要があるが、相続を放棄した者は最初から相続人ではなかったことになるので（民939）、当該登記の**申請人とはならない**（昭46.10.4民甲3230号第七、一）。

○ **051**

指定債務者の合意（民398の8Ⅱ）は、債務者の地位について相続が生じていることを前提としているため、これを公示する必要性があるから**合意の登記の前に相続による債務者の変更登記が必要である**（92）。

× **052**

本肢のように単に既発生の債権を相続しない旨のみを明らかにしていても、指定根抵当権者にならない旨が明らかでない限り、相続人として登記名義を取得し、その者を指定根抵当権者とする合意の登記を申請することが**できる**。

× **053**

相続による債務者変更登記及び民法398条の8第2項の合意がされ、かつ、その登記が既にされている場合の追加担保による根抵当権設定登記の申請をする場合に登記所に提供しなければならない債務者の氏名又は名称及び住所は、**指定債務者についてだけではなく、指定債務者以外の債務者の相続人についても提供しなければならない**（昭62.3.10民三1083号）。

054 □□□ 平10-22-ウ

債務者の相続及び指定債務者の合意の登記がされている根抵当権について、追加担保による根抵当権設定の登記を申請する場合、その申請書中に相続債務者を表示するには、その住所、氏名のほか、被相続人の住所、氏名、死亡年月日をも記載しなければならない。

055 □□□ 平12-12-オ（平16-20-オ）

相続による根抵当権移転の登記がされた後、指定根抵当権者の合意の登記を申請する前に、他の事由で元本が確定した場合であっても、相続開始後6か月を経過する前であれば、指定根抵当権者の合意の登記を申請することができる。

056 □□□ 平13-17-ウ（令4-24-ア）

根抵当権の債務者について相続が開始した後、6か月が経過する前に、その相続人について第二の相続が開始した場合、第二の相続の開始時から6か月が経過するまでは、指定債務者の登記を申請することができる。

057 □□□ 平17-19-オ

元本の確定前に根抵当権者について相続が開始した場合において、相続開始後6か月以内に民法第398条の8第1項の合意がされているときは、いつでも当該合意についての登記を申請することができる。

○ **054**

相続開始時までの既発生債務が被担保債権となっていることを明らかにするため「債務者」として既発生債務の相続人（既登記の相続による変更登記の相続人）の氏名又は名称及び住所を提供し、当該債務が被相続人によって発生させられたことを示すため、かっこ書きで被相続人の住所、氏名及び死亡年月日をも提供する。

○ **055**

本肢の場合、指定根抵当権者の合意の登記を申請することができる。これは、合意の登記をすれば、相続開始後元本確定のときまでに指定根抵当権者が取得した債権は当該根抵当権により担保されるので、合意の登記をする実益があるからである。

× **056**

根抵当権の債務者について相続が開始した後、6か月が経過する前に、その相続人について第二の相続が開始した場合、第一の相続開始時から6か月以内に指定債務者の合意の登記の申請をしなければ、根抵当権の元本は確定する。

× **057**

元本の確定前に根抵当権者について相続が開始した場合において、相続開始後6か月以内に指定根抵当権者の合意の登記をしないときは、担保すべき元本は相続開始の時に確定したものとみなされる（民398の8Ⅳ）。

058 □□□ 平22-17-オ

根抵当権の債務者がＡ及びＢの２名として登記されている場合において、Ａについてのみ相続が生じたときは、相続を登記原因とする債務者の変更の登記及び指定債務者の合意の登記を申請することができない。

059 □□□ 平4-23-3（平12-12-イ）

元本の確定前に債務者が死亡し、未成年の子とその親権者が相続人となり、当該不動産は子が相続した場合において、親権者を民法第398の８第２項の合意による債務者と定め、その登記を申請するには、その子のために特別代理人を選任しなければならない。

× **058**

根抵当権の債務者２名のうちの１名について相続が生じた場合、相続を原因とする債務者の変更の登記及び指定債務者の合意の登記をすることができる（登研557-169）。

○ **059**

元本の確定前に債務者兼設定者が死亡し、未成年の子とその親権者が共同相続人となり、当該不動産を子が相続した場合において、親権者を指定債務者とする合意は、民法826条の利益相反行為に該当する（登研304-73）。

5 元本確定

060 ☐☐☐　令3-22-ウ

元本確定前の根抵当権について根抵当権者を分割をする会社とする会社分割があったため、根抵当権設定者が元本確定の請求を行った場合には、根抵当権設定者は元本の確定を請求したことを証する書面を添付して、単独で元本確定の登記を申請することができる。

061 ☐☐☐　令3-22-ア

元本確定前の根抵当権の登記名義人であるＡがその目的不動産について担保不動産競売の申立てをし、担保不動産競売開始決定に係る差押えの登記がされたが、その後、Ａが当該申立てを取り下げたため当該登記が抹消されている場合において、Ｂが当該差押えにより当該根抵当権が確定したものとして当該根抵当権の被担保債権について代位弁済をしたため、ＡとＢが共同して、代位弁済による当該根抵当権の移転の登記を申請するときは、その前提として当該根抵当権の元本確定の登記を申請することを要する。

062 ☐☐☐　平9-24-ウ（平13-27-オ）

根抵当権について共同担保である旨の登記がされている場合において、その目的不動産の１つである他の不動産についてのみ、元本の確定事由が生じたときは、根抵当権の担保すべき元本の確定の登記の申請をすることができない。

063 ☐☐☐　平元-17-4（平8-12-ウ、平11-23-イ、平12-13-イ、平14-20-5）

根抵当権の順位を譲渡する登記の申請は、元本確定前は、することができない。

× **060**

元本確定前の根抵当権者を分割会社とする会社分割があった場合には、根抵当権設定者は、担保すべき元本の確定を請求することができる（民398の10Ⅲ・398の９Ⅲ）。そして、この場合の元本確定の登記は、根抵当権設定者を登記権利者、根抵当権者を登記義務者として共同で申請することを要し、根抵当権設定者が単独で申請することはできない（93参照）。

× **061**

根抵当権者が抵当不動産について競売の申立てをし、差押えの登記がされている場合、元本の確定が登記記録上明らかであるから、元本確定の登記がされていなくても、**元本確定後のみにすることができる根抵当権の移転の登記を申請することができる**（昭46.12.27民三960号、民398の20Ⅰ①）。

× **062**

共同根抵当権が設定されている一部の不動産について元本の確定事由が生ずると、他の不動産についても確定の効果が生ずる（民398の17Ⅱ）。

○ **063**

根抵当権の順位の譲渡は、転抵当と異なり、民法398条の11により元本確定前の禁止処分に含まれており、元本確定前にすることはできない。

064 □□□ 平11-23-ウ

根抵当権者を異にする複数の根抵当権が設定されている不動産について、一つの根抵当権の実行による差押えの登記がされている場合に、他の根抵当権につきその被担保債権を全部譲渡したことによる根抵当権移転の登記申請は、その申請の前提として元本確定の登記をしなければならない。

065 □□□ 平12-12-エ

根抵当権者に合併があった場合、根抵当権設定者（物上保証人）は、元本確定の請求をし、その請求の日から2週間を経過した日を登記原因日付として、元本確定の登記を申請することができる。

066 □□□ 平11-23-ア

A所有の甲土地とB所有の乙土地にAを債務者とする共同根抵当権を設定した後、Aが破産手続開始の決定を受け、甲土地につき破産手続開始の登記がされた場合に、乙土地についてする根抵当権移転の登記申請は、その申請の前提として元本確定の登記をしなければならない。

067 □□□ 平19-19-ウ

根抵当権設定者である法人が破産手続開始の決定を受けた場合には、当該根抵当権の元本は法律上当然に確定するが、代位弁済を原因として当該根抵当権の移転の登記を申請するときは、当該申請の前提として元本の確定の登記を申請することを要する。

○ **064**

根抵当権者が抵当不動産に対する競売手続の開始又は滞納処分による差押えがあったことを知った日から２週間を経過したときは、根抵当権の元本は確定する(民398の20Ⅰ③)。本肢の場合、登記記録上、元本が確定していることが明らかであるとはいえないので、元本確定後の根抵当権移転の登記を申請する前提として、元本確定の登記を**申請しなければならない**(登研559-152参照)。

× **065**

元本確定前の根抵当権について、根抵当権者に合併が生じた場合、原則として根抵当権の設定者は、合併の事実を知った日から２週間以内かつ合併の日から１か月以内に、元本の確定請求をすることができる（民398の９Ⅰ・Ⅲ・Ⅴ)。ただし、元本確定登記の原因日付である確定日は、**合併の時である**（民398の９Ⅳ)。

○ **066**

債務者と設定者が別人の場合、債務者について破産手続開始の決定がされても、破産手続開始の登記の嘱託はされないので、登記記録上、元本が確定していることが明らかであるとはいえない。したがって、元本確定後の根抵当権移転の登記を申請するときは、前提として乙土地について元本確定の登記を**しなければならない**。

○ **067**

法人が破産手続開始の決定を受けた場合、「不動産登記記録上元本の確定が明らかな場合」とはいえず、元本の確定後でなければできない登記を申請する前提として元本確定の登記を申請することを**要する**（破257Ⅰ・258Ⅰ②参照、昭46.12.27民三960号参照)。

根抵当権に関する登記 ５ 元本確定

068 □□□ 平22-17-ア

相続を登記原因とする債務者の変更の登記がされた場合において、指定債務者の合意の登記がされていないときは、相続開始後６か月以内の間は、根抵当権者は、元本の確定の登記を申請することができない。

069 □□□ 平27-23-オ

根抵当権者Ａが、抵当不動産に対するＢによる滞納処分による差押えがあったことを知った時から２週間を経過した後に、当該根抵当権の後順位の根抵当権者Ｃに対して根抵当権の順位の譲渡をしたときは、Ａは、当該根抵当権の順位の譲渡の登記を申請することなく、単独で当該根抵当権の元本の確定の登記を申請することができる。

070 □□□ 平17-19-エ

根抵当権の元本の確定すべき期日が定まっていない場合において、根抵当権者が元本の確定を請求したときは、その請求の時から２週間を経過しなければ、元本の確定の登記を申請することができない。

071 □□□ 平9-24-エ

元本の確定すべき期日が定まっていない場合において、根抵当権設定者が根抵当権設定の時から４年を経過した後に元本確定の請求をし、その請求の時から２週間を経過したときは、根抵当権の担保すべき元本の確定の登記の申請をすることができない。

○ **068**

相続を原因とする根抵当権の債務者の変更登記はされたが、指定債務者の合意の登記がされていない場合、元本確定前、又は、元本確定後にのみすることができる登記の申請は、いずれも受理されない。

× **069**

民法398条の20第１項第３号の規定により根抵当権の担保すべき元本が確定した場合の登記は、当該根抵当権の登記名義人が単独で申請することができる。ただし、当該根抵当権又はこれを目的とする権利の取得の登記の申請と併せてしなければならない(93)。

× **070**

根抵当権者は、いつでも、担保すべき元本の確定を請求することができる。この場合において、担保すべき元本は、その請求の時に確定する（民398の19Ⅱ）。したがって、根抵当権者による元本確定請求の時から２週間を経過しなくても、元本の確定登記の申請をすることができる。

× **071**

元本の確定期日が定まっていない場合に、根抵当権設定の時から３年を経過した時は、根抵当権設定者は元本の確定請求をすることができ、その請求の時から２週間を経過すると元本は確定する(民398の19Ⅰ・Ⅱ)。したがって、元本確定の登記を申請することができる。

6 根抵当権抹消

072 □□□ 平29-14-オ

甲不動産について、Aを登記名義人、Bを債務者とする根抵当権の設定の登記がされ、その後根抵当権の元本の確定の登記がされた場合において、甲不動産の所有権を取得し、所有権の登記名義人となったCが当該根抵当権の消滅請求をしたことにより当該根抵当権が消滅したときは、AとCは、消滅請求を登記原因として当該根抵当権の登記の抹消を申請することができる。

073 □□□ 平12-16-イ（平17-26-イ）

登記義務者が行方不明であるため、登記権利者が単独で不動産登記法第70条第４項後段の規定により根抵当権設定の登記の抹消を申請する場合において、登記記録上元本確定の日が明らかでないときは、抵当権の場合と同じく、その設定の日が弁済期とみなされる。

074 □□□ 平27-23-イ

元本が確定した根抵当権の登記名義人の所在が知れない場合には、当該根抵当権の目的である不動産の所有権の登記名義人は、当該根抵当権の登記名義人の所在が知れないことを証する情報及び当該根抵当権の被担保債権が消滅したことを証する情報を提供して、単独で当該根抵当権の登記の抹消を申請することができる。

○ **072**

抵当不動産について所有権を取得した第三者は、根抵当権の消滅請求をすることができる（民398の22 I）。そして、当該請求によって根抵当権が消滅した場合、第三取得者と根抵当権者は、消滅請求を登記原因として根抵当権の登記の抹消を申請することができる。

× **073**

70条４項後段の規定により、休眠担保権を抹消する登記の申請をする場合において、抹消すべき登記が元本確定後の根抵当権であるときは、元本確定の日が弁済期とみなされる。また、元本確定の日は、元本確定の登記があるとき又は登記記録上元本が確定したことが明らかであるとき（民398の６Ⅳ・398の20 I ①②④参照）はその記録により明らかになり、それ以外の場合には、「設定の日から３年を経過した日」とみなされる（昭63.7.1民三3499号第二、三）。

○ **074**

登記権利者は、債権証書並びに被担保債権及び最後の２年分の利息その他の定期金の完全な弁済があったことを証する情報及び登記義務者の住所が知れないことを証する情報を提供し、単独で権利に関する登記の抹消を申請することができる（70Ⅳ前段、不登令別表26項添ハ（1）（2））。そして、元本確定後の根抵当権は70条４項前段の抹消の対象となる。

第5編

仮登記に関する登記

1 仮登記の意義

001 □□□ 平5-12-エ（平19-23-エ、平23-22-ウ）

根抵当権の極度額増額の予約に基づく根抵当権の変更請求権保全の仮登記の申請は、登記上の利害関係人の承諾書の添付がなくてもすることができる。

002 □□□ 平24-22-ウ（令4-25-オ）

共同根抵当権を設定した場合には、その仮登記を申請することができる。

003 □□□ 平14-12-エ

農地について農地法所定の許可後に本契約をする旨の贈与予約を原因とする所有権移転請求権仮登記を申請することができる。

004 □□□ 平15-16-ウ

株式会社の新設分割による新設分割会社から新設分割設立会社への不動産の所有権移転登記において、会社分割の登記がされることを停止条件とする条件付所有権移転仮登記は、申請することができる。

005 □□□ 平15-16-エ

株式会社の新設分割による新設分割会社から新設分割設立会社への不動産の所有権移転登記において、登記原因を会社分割とし、その日付を会社分割の登記の日とする所有権移転仮登記は、申請することができる。

× **001**

根抵当権の設定の登記がされた不動産について、当該根抵当権の極度額増額の予約に基づく根抵当権の変更請求権保全の仮登記を付記登記でする場合、利害関係を有する第三者がいるときは、当該第三者の承諾を証する情報又は当該第三者に対抗することができる裁判があったことを証する情報を提供しなければならない（昭41.3.29民三158号）。

× **002**

共同根抵当権設定の仮登記の申請はすることができない（昭47.11.25民甲4945号）。

○ **003**

請求権保全の仮登記と呼ばれる２号仮登記は、権利変動の請求権が停止条件付きであるときにもすることができる。したがって、贈与予約（条件　農地法第５条の許可）を原因として、条件付所有権移転請求権仮登記を申請することができる。

× **004**

新設分割においては、本店所在地において設立の登記をすることによって効力が生じる（会社764Ｉ）ため、会社分割の登記前においては、個々具体的な不動産に関する権利については、物権的効力も債権的効力も生じないため、条件付所有権移転仮登記は申請することはできない（登研647-137）。

○ **005**

新設分割において設立の登記がされ、その効力が生じたものの、登記義務者の登記識別情報の提供ができない等の理由による場合（不登規178）、つまり105条１号の所有権移転仮登記であるならば、その申請は可能である（登研647-137）。

006 □□□ 平14-12-ウ（平27-24-イ、令2-23-イ）

協議離婚の届出前に、財産分与予約を原因とする所有権移転請求権仮登記を申請することができる。

007 □□□ 平7-19-ア

所有権の移転の仮登記の申請は、相続を原因としてすることはできない。

008 □□□ 平19-23-イ改題（令2-23-ア）

真正な登記名義の回復を原因とする所有権の移転の請求権の仮登記は申請することができない。

009 □□□ 令2-23-ア

AからBへの売買、更にBからCへの売買を登記原因とする所有権の移転の登記がされている場合において、AがBとの売買契約を詐欺により取り消したときは、Aは、真正な登記名義の回復を登記原因としてAを登記名義人とする所有権移転請求権の保全の仮登記を申請することができる。

010 □□□ 平27-24-エ

停止条件付所有権の移転の仮登記がされた土地につき、当該仮登記の登記名義人に錯誤があるときは、真正な登記名義の回復を登記原因として、当該仮登記の移転の登記を申請することができる。

× **006**

財産分与の予約は法的には何らの効力も生じないため、財産分与の予約を登記原因とする所有権移転請求権仮登記を申請することはできない（昭57.1.16民三251号）。

○ **007**

相続を原因とする所有権移転の登記申請は、相続人の単独申請による登記であり（63Ⅱ）、登記義務者は存在せず、また第三者の許可等も問題とならない。したがって、105条1号の仮登記をする実益がない。また、105条2号の仮登記を申請することもできない（昭57.2.12民三1295号参照）。

○ **008**

真正な登記名義の回復を原因とする所有権の移転の仮登記（105①）の申請はすることができるが、所有権の移転請求権の仮登記及び停止条件付所有権の移転の仮登記（105②）の申請はすることができない（登研574-109・423-126）。

× **009**

「真正な登記名義の回復」を登記原因とする所有権移転請求権の保全の仮登記及び停止条件付所有権の移転の仮登記を申請することはできない（登研574-109）。

× **010**

停止条件付所有権移転の仮登記がされた不動産について、「真正な登記名義の回復」を登記原因として、当該仮登記の移転の登記を申請することはできない（昭41.7.11民甲1850号）。

011 □□□　　平19-23-ア（昭60-23-1）

仮登記仮処分命令を得てする所有権の保存の仮登記は申請することができる。

012 □□□　　平19-26-ウ

所有権の登記のない建物について所有権の移転の仮登記を命ずる処分がされた場合には、所有権の保存の登記を申請することなく、当該処分に基づく所有権の移転の仮登記を申請することができる。

013 □□□　　令2-23-エ

甲不動産の所有権の登記名義人であるAから売買予約を登記原因としてBを仮登記の登記権利者とする所有権移転請求権の保全の仮登記がされた後は、本登記がされるまでの間に、Aを権利者とする買戻しの特約の仮登記を申請することはできない。

014 □□□　　令2-23-オ

雇用契約における使用者A及び労働者Bは、Aが所有権の登記名義人である甲不動産を目的として、BがAに対して有する給料債権を被担保債権とする一般の先取特権の保存の仮登記を申請することができる。

015 □□□　　平3-31-2（平19-23-オ）

抵当権の順位の変更の仮登記の申請は、することができない。

○ **011**

所有権保存の登記を申請しようとする者が、いわゆる承継取得者であり、その前主に対して登記手続を訴求するに当たり、仮登記を命ずる処分決定の申請を行い、その仮登記を命ずる処分決定を得た場合には、所有権の保存の仮登記を申請することが認められる。

× **012**

所有権保存の登記を申請することなく、所有権移転の仮登記を命ずる処分に基づく所有権の移転の仮登記を申請することはできない。

× **013**

所有権移転請求権の保全の仮登記及び買戻しの特約の仮登記は、必ずしも同時に申請することを要しない（昭36.5.30民甲1257号）。なお、買戻しの特約の仮登記に基づく本登記は、所有権移転請求権の仮登記に基づく本登記と同時に申請することを要する（同先例）。

○ **014**

雇用関係の先取特権は、給料その他債務者と使用人との間の雇用関係に基づいて生じた債権について存在する（民308）。そして、一般の先取特権の保存の仮登記を申請することができる（平28.6.8民二386号記録例587）。

○ **015**

抵当権の順位変更は、登記が効力要件であるため仮登記の申請をすることは認められない（民374Ⅱ参照）。

016 □□□ 平12-25-3

所有権の登記名義人AがBを受託者とする信託の登記を申請したいと考えているが、Aの登記識別情報を記載した書面を提出することができない場合には、信託の仮登記を申請することができる。

017 □□□ 平25-26-イ

仮登記の登記権利者が書面申請の方法により単独で仮登記を申請する場合には、当該登記権利者が登記手続をすることについて仮登記の登記義務者が承諾する旨の条項がある公正証書の正本を申請書に添付したとしても、当該登記義務者の印鑑に関する証明書を添付しなければならない。

018 □□□ 平29-24-エ

Aを所有権の登記名義人とする不動産について、A及びAの子Bとの間で死因贈与契約が締結された場合には、Bは、Aの承諾を証する情報を提供して、単独で、始期付所有権移転仮登記を申請することができる。

019 □□□ 平27-24-オ

Aを所有権の登記名義人とする土地につき、売主Aと買主Bとの間で、売買代金が完済されたときに当該土地の所有権が移転する旨の特約付きの売買契約を締結した場合において、当該売買代金が完済されていないときは、登記原因を「年月日売買（条件　売買代金完済）」とする条件付所有権の移転の仮登記を申請することができる。

○ **016**

「信託」を原因とする所有権移転仮登記（105①）及び信託の仮登記をすることはできる（登研508-173）。

× **017**

仮登記の登記権利者が単独で仮登記をする場合に、仮登記義務者が承諾する旨の条項がある公正証書の正本を承諾書として添付する場合には、印鑑証明書の添付は要しない（昭54.7.19民三4170号）。

○ **018**

死因贈与契約を締結した場合、登記原因を「年月日贈与（始期何某の死亡）」とする始期付所有権移転仮登記を申請することができる（登研352-104）。そして、仮登記を申請する場合、仮登記の登記義務者の承諾があるときは、仮登記権利者が単独で申請することができる（107Ⅰ）。

○ **019**

売買代金完済時に所有権が移転するとの特約付き売買契約が締結された場合には、登記原因を「年月日売買（条件　売買代金完済）」とする停止条件付所有権移転の仮登記を申請することができる（昭58.3.2民三1308号）。

020 □□□ 平24-22-エ

抵当権の設定の仮登記の登記権利者が死亡した場合の相続を登記原因とする当該仮登記の移転の登記は、仮登記でされる。

021 □□□ 平24-22-オ（平7-19-ア）

相続を登記原因とする所有権の移転の仮登記を申請するために「平成何年何月何日相続を原因とする所有権の移転の仮登記をせよ。」との仮登記を命ずる処分の申立てをすることができる。

○ **020**

抵当権設定の仮登記（105①）の権利者の死亡による相続を原因とする移転の登記は、付記による仮登記によってする（登研597-125）。

× **021**

「年月日相続を原因とする所有権の移転の仮登記をせよ。」とする仮登記仮処分命令による所有権移転の仮登記の申請は、受理すべきでない（昭57.2.12民三1295号）とされている。

❷ 仮登記の処分

仮登記された所有権（移転請求権）の移転

022 □□□ 平18-12-2

不動産登記法第105条第1号による所有権の移転の仮登記を、同条第2号の所有権の移転請求権の仮登記とする更正の登記を申請することはできない。

023 □□□ 平14-24-イ

所有権移転請求権の仮登記についての移転請求権の仮登記の申請書には、登記義務者である仮登記名義人の登記識別情報を記載した書面を添付することを要しない。

024 □□□ 平27-24-ア（令2-23-ウ）

Ａを所有権の登記名義人とする土地につき、売買予約を登記原因としてＢ及びＣを仮登記の登記権利者とする所有権移転請求権の保全の仮登記をした後、Ｂがその所有権移転請求権を放棄したときは、放棄を登記原因として、ＢからＣへの当該所有権移転請求権の移転の登記を申請することができる。

025 □□□ 平15-17-ウ

売買予約を原因とする所有権移転請求権の仮登記がされた場合における当該売買予約上の権利の譲渡は、仮登記に権利移転の付記登記をしても、別に債権譲渡の対抗要件を具備しなければ、第三者に対抗することはできない。

× **022**

仮登記原因の更正は一般的に認められており、105条1号仮登記と同条2号仮登記間の更正も認められている（大決大8.5.15）。

○ **023**

取得した権利が所有権移転請求権の移転請求権（所有権移転請求権の債権的取得）であるときは、その権利が仮登記によって公示されるため、先例は、仮登記義務者の登記識別情報の提供は不要であるとしている（昭39.3.3民甲291号参照）。

○ **024**

準共有の所有権移転請求権について、準共有者のうち一人が自らの権利を放棄した場合、放棄を登記原因として、他の準共有者への所有権移転請求権の移転の登記を申請することができる（昭35.2.5民甲285号）。

× **025**

売買予約を原因とする所有権移転請求権の仮登記がされた場合における当該売買予約上の権利の譲渡の対抗要件は、仮登記の付記登記で足り、別に債権譲渡の対抗要件を具備する必要はない。

仮登記された権利の移転以外の処分

026 □□□ 平30-26-ア

Ａを所有権の登記名義人とする甲土地についてＡからＢへの所有権の移転の仮登記がされている場合には、Ｂを設定者、Ｃを抵当権者とする抵当権設定請求権の保全の仮登記を申請することができる。

027 □□□ 平17-19-ア

根抵当権の設定の仮登記がされた根抵当権の設定者について破産手続開始の登記がされている場合には、当該根抵当権の設定の仮登記について、元本の確定の登記がされていないときであっても、登記原因を債権譲渡とする根抵当権の移転の仮登記を申請することができる。

028 □□□ 平10-15-ウ

登記の申請をするために登記所に提供しなければならない情報であって、第25条第９号の申請情報と併せて提供しなければならないものとされているもののうち法務省令で定めるものを提供できないときのために設定の仮登記がされた地上権を目的として根抵当権設定登記をすることはできない。

029 □□□ 平3-21-2（平5-12-オ、平10-15-オ）

農地法第５条の許可を条件とする仮登記のされた停止条件付所有権を目的としてこの条件成就を停止条件とする根抵当権設定の仮登記申請はすることができる。

○ **026**

1号仮登記された所有権の登記名義人は、実体上所有者であるから、当該1号仮登記所有権を目的として、抵当権を設定することができる。この点、抵当権の目的である所有権は仮登記であるから、抵当権の設定も仮登記によって申請することになる。

○ **027**

105条1号の仮登記は、本登記されている場合と実体上は何ら変わりのないものであるから、105条1号の根抵当権設定仮登記が、登記上において既に根抵当権の元本が確定していることが明らかな場合には、当該根抵当権も実体上当然に確定しているので、債権譲渡を登記原因とする根抵当権の移転の仮登記を申請することができる（登研629-127）。

○ **028**

登記手続上は、地上権が仮登記にすぎないので、根抵当権設定登記を受けることはできず、根抵当権設定仮登記にとどまる。

○ **029**

農地法第5条の許可を停止条件として仮登記された停止条件付所有権に対して、この条件の成就を停止条件とする根抵当権設定の仮登記の申請は、受理して差し支えない（昭39.2.27民甲204号、不登105②）。

❸ 仮登記の本登記

030 □□□ 平22-12-ア（平27-20-ア）

地目が田である土地につき、農地法第３条の許可を条件とする条件付所有権の移転の仮登記がされた後、当該仮登記の登記原因の日付よりも前の日付の登記原因で、地目を宅地とする地目に関する変更の登記がされた場合には、当該条件付所有権の移転の仮登記を所有権の移転の仮登記とする更正の登記を経れば、当該仮登記に基づく本登記の申請をすることができる。

031 □□□ 平30-26-オ（平元-26-2、平７-19-オ）

Ｂを抵当権者とする抵当権の設定の仮登記がされた後、所有権登記名義人ＡからＣへの売買を登記原因とする所有権の移転の登記がされた場合には、当該仮登記に基づく本登記は、Ａ及びＢが共同して申請することができる。

032 □□□ 平26-20-エ

Ａが所有権の登記名義人である甲土地について、Ａの死亡を始期とする所有権の移転の仮登記がされている場合において、その後にＡが死亡し、当該仮登記に基づく本登記を申請するときは、その前提としてＡの相続人への所有権の移転の登記を申請しなければならない。

033 □□□ 平23-22-ア

所有権移転請求権の仮登記に基づく本登記を申請する場合において、当該所有権移転請求権の仮登記に対し、付記による移転請求権の仮登記がされているときは、その付記された仮登記の名義人は、利害関係を有する第三者に当たらない。

○ **030**

農地法第３条の許可を条件とする条件付所有権移転の仮登記がされている場合において、地目変更の登記の原因日付が当該仮登記の原因日付よりも前のときには、この仮登記にもとづく所有権移転の本登記の申請は却下される。しかし、この条件付所有権移転の仮登記を所有権移転の仮登記（１号仮登記）とする更正の登記を経れば、所有権移転の本登記を申請することができる（昭40.12.7民甲3409号）。

○ **031**

抵当権設定の仮登記後、第三者に所有権移転の登記がされた場合の右仮登記に基づく本登記の登記義務者は、抵当権設定者又は現在の所有権の登記名義人のいずれでもよい（昭37.2.13民三75号）。

× **032**

ＡからＢへＡの死亡を始期とする所有権移転の仮登記がされている場合において、その後にＡが死亡し、Ａの相続人が相続した場合、仮登記権利者ＢがＡの相続人を本登記義務者として本登記を申請するときは、その前提として必ずしも相続による所有権移転の登記を申請することを要せず、相続を証する情報を提供して、Ａの相続人とともに仮登記に基づく本登記を申請することができる（昭38.9.28民甲2660号）。

× **033**

所有権移転請求権の仮登記に基づく本登記を申請する場合において、当該所有権移転請求権の仮登記に対し、付記による移転請求権の仮登記がされているときは、その付記された仮登記の登記名義人は、利害関係を有する第三者に該当する（昭44.10.2民甲1956号）。

034 □□□ 平5-16-ア（平14-16-ウ、平15-17-ア、平25-26-オ）

抵当権の放棄を原因として抵当権設定登記の抹消の仮登記がされた後、債権譲渡を原因として当該抵当権移転の付記登記がされている場合、仮登記に基づく抹消の本登記の登記義務者は、当該抵当権譲渡人又は譲受人のいずれでもよい。

035 □□□ 平11-22-イ（平15-26-ウ、平21-26-ウ）

甲・乙不動産について、同一の債権を担保するために共同根抵当権設定契約を締結し、根抵当権設定の仮登記をした場合、これらの仮登記を本登記するときに共同根抵当権設定の本登記とする登記を申請することはできない。

036 □□□ 平29-24-イ

Ａを所有権の登記名義人とする不動産について、当該所有権を目的として、Ｂを仮登記の登記名義人とする抵当権の設定の仮登記がされた後に、Ｃを登記名義人とする地上権の設定の登記及びＤを登記名義人とする抵当権の設定の登記がされている場合には、Ｂは、Ａと共同して、Ｃ及びＤの承諾を証する情報を提供しないで当該仮登記に基づく本登記を申請することができる。

037 □□□ 平3-21-3（平17-21-ウ）

所有権移転仮登記がされた後に差押えの登記がされた場合は、その仮登記に基づく本登記の申請は、申請書に当該差押債権者の承諾書を添付しても、することができない。

○ **034**

抵当権設定登記の抹消の仮登記がされた後に、その抵当権が移転している場合、仮登記の本登記申請の登記義務者は、抵当権譲渡人又は譲受人のどちらでもよいとされている（昭37.10.11民甲2810号）。

× **035**

共同根抵当権は、登記をすることによって効力が生じる（民398の16）のであるから、仮登記の段階で共同担保とすることはできず、共同根抵当権設定仮登記を申請することはできない（昭47.11.25民甲4945号）。しかし、同様の内容の累積式の根抵当権の仮登記を不動産ごとにしておき、本登記の際に共同根抵当権である旨の登記をすることはできる（登研424-222）。

○ **036**

所有権以外の権利に関する仮登記に基づく本登記をする場合は、当該仮登記の後に登記された権利者があっても、その者の承諾を要しない（109 I 参照）。

× **037**

本肢の差押債権者は、登記上利害関係を有する第三者に含まれる（昭36.2.7民甲355号、109参照、不登令別表69項添イ参照）。したがって、仮登記に基づく本登記の申請情報と併せて、当該差押債権者の承諾を証する情報を提供すれば、当該申請をすることができる（109、不登令別表69項添イ）。

038 □□□ 平元-26-4（平25-26-ウ、平30-26-イ）

仮登記された所有権移転請求権の一部の移転の登記がされている場合には、当該仮登記に基づく本登記は、仮登記権利者全員が同時に申請しなければならない。

039 □□□ 平23-22-オ（平30-26-エ）

所有権の移転の仮登記を対象とする処分禁止の仮処分が付記登記でされている場合において、当該仮登記に基づく所有権の移転の本登記の申請をするときは、当該仮処分の債権者は、利害関係を有する第三者に当たらない。

040 □□□ 平17-21-ア

所有権に関する仮登記がされた後に、その不動産の所有者から当該不動産を譲り受けた者は、所有権の移転の登記をしていないときであっても、当該仮登記に基づき本登記を申請する場合における登記上の利害関係を有する第三者に当たる。

041 □□□ 平29-24-オ

Ａを仮登記の登記名義人として仮登記された地上権を目的として、ＡがＢとの間で抵当権の設定契約を締結した場合には、当該抵当権の設定の本登記を申請することができる。

○ **038**

所有権移転請求権保全の仮登記のされた請求権の一部が移転した場合において、当該仮登記に基づく本登記は、仮登記権利者全員が同時に申請することを要する（昭35.5.10民三328号）。

○ **039**

所有権移転の仮登記を対象とする処分禁止の仮処分が付記登記でされている場合において、当該仮登記に基づく本登記を申請するときは、当該仮処分の債権者は、登記上の利害関係を有する第三者に該当しない（昭48.7.21民三5608号）。

× **040**

所有権に関する仮登記がされた後に、その所有者から当該不動産を譲り受けた者が、所有権の移転登記をしていなかった場合は、登記上利害を有することが表現されていないため、実質的に権利を害されることがあっても、その者は当該第三者に該当しない。

× **041**

１号仮登記された地上権の登記名義人は、実体的には地上権者であるから、当該１号仮登記の地上権を目的として、抵当権を設定することができる。ただし、当該抵当権の目的である地上権は、仮登記された状態であり、本登記されていないため、抵当権の設定の登記も仮登記によることになり、本登記を申請することはできない。

042 □□□ 平23-22-イ

代物弁済の予約を登記原因とする所有権移転請求権の仮登記がされた不動産について、当該仮登記に基づく本登記の申請をする場合において、当該仮登記後に登記された後順位の担保権者のために担保権の実行としての競売の申立ての登記がされていないときは、仮登記担保契約に関する法律第３条の清算金を供託したことを証する情報をもって、当該担保権者の承諾を証する当該担保権者が作成した情報に代えることができる。

043 □□□ 平15-17-オ

建物の所有権移転請求権の仮登記の権利者は、本登記をするのに必要な要件を具備したとしても、仮登記のままでは、当該建物を占有している第三者に対し、その明渡しを請求することはできない。

× **042**

清算金を供託したことを証する情報、及び後順位担保権者が仮登記担保契約に関する法律4条1項の差押えをしたことを証する情報を提供すれば、当該後順位担保権者の承諾を証する情報に代えることができる（仮登記担保18、不登令別表69項添イ括弧書）。したがって、仮登記担保契約に関する法律3条の清算金を供託したことを証する情報のみでは足りない。

○ **043**

仮登記の状態においては、当該仮登記の内容となる権利変動につき実質的な対抗力を付与するものではない。したがって、右のような第三者に対して、自己の権利に基づいて目的不動産の明渡しを請求することはできない（最判昭32.6.18）。

❹ 仮登記の抹消

044 □□□ 平30-26-ウ

Aを所有権の登記名義人とする甲土地についてAからBへの売買予約を登記原因とする所有権移転請求権の保全の仮登記がされた後、Bが当該売買を完結する意思表示をしたことにより、当該仮登記に基づく本登記がされた場合において、Bの当該意思表示に錯誤があるときは、A及びBが共同して当該本登記の抹消を申請することができる。

045 □□□ 平22-12-ウ

仮登記の登記上の利害関係人が、当該仮登記の抹消を単独で申請するには、仮登記権利者及び仮登記義務者の承諾を証するこれらの者が作成した情報又はこれらの者に対抗することができる裁判があったことを証する情報を提供しなければならない。

046 □□□ 平7-19-エ（平3-23-2）

仮登記の名義人が、仮登記の抹消を申請する場合には、申請書に仮登記名義人の登記識別情報を記載した書面を添付しなければならない。

047 □□□ 平7-19-ウ

A所有名義の不動産につき、Bが根抵当権の設定の仮登記を受けている場合には、Aは、申請書にBの承諾書を添付して、単独で仮登記の抹消を申請することができる。

○ **044**

仮登記に基づく本登記がされたが、当該本登記が錯誤によるものであった場合、本登記のみの抹消を申請することができる（登研74-35）。

× **045**

仮登記のあることにより登記上不利益を受ける者は、仮登記名義人の当該仮登記の抹消についての承諾を証する情報又は仮登記名義人に対抗することができる裁判があったことを証する情報を提供して、当該仮登記の抹消を単独で申請することができる（110後段）。

○ **046**

仮登記名義人は、登記識別情報を申請情報と併せて提供して、仮登記の抹消を単独で申請することができる（110・22、不登令8Ⅰ⑨）。

○ **047**

登記上の利害関係人とは、その仮登記に基づく本登記をした場合に、自己の権利が否定されるか又は不利益を受ける者及び109条の規定によりその登記が抹消される者のほか、仮登記義務者も含まれる（登研461-117参照）。

048 □□□　令4-25-ア（平19-19-オ）

土地の所有権を目的とする不動産登記法第105条第1号による根抵当権の設定の仮登記がされている場合において、当該根抵当権の担保すべき元本が根抵当権者の請求により確定したときは、元本確定の仮登記を申請することができる。

049 □□□　平17-20-ウ（平3-20-1）

AからBに対する所有権の移転の仮登記後にされた別個のAからBに対する所有権の移転の登記について、その登記原因が仮登記原因と相関連し、登記上の利害関係を有する第三者が存在しないときは、仮登記に基づく本登記とする更正の登記を申請することができる。

050 □□□　令4-26-イ

Aが所有権の登記名義人である甲不動産に売買予約を原因としてBを登記名義人とする所有権移転請求権保全の仮登記（以下「本件仮登記」という。）がされている場合において、本件仮登記がされた後にAからCへの売買を原因とする所有権の移転の登記がされている場合であっても、Bは、Aを登記権利者として、本件仮登記の抹消の申請をすることができる。

× **048**

仮登記された根抵当権の元本の確定の登記は、付記の本登記によってされる（平14.5.30民二1310号）。

× **049**

AからBに対する所有権の移転の仮登記後にされた別個のAからBに対する所有権の移転の登記について、登記上の利害関係を有する第三者が存在しない場合であっても、仮登記に基づく本登記とする更正の登記を申請することはできない（昭36.3.31民甲773号）。更正の登記が認められるのは、登記事項に錯誤又は遺漏のあることが前提となるからである。

○ **050**

Aを所有権の登記名義人とする甲不動産について、AからBへの売買予約を登記原因とする所有権移転請求権保全の仮登記がされた後、AからCへの所有権の移転の登記がされた場合において、Bの仮登記の抹消を共同で申請するときは、Aを登記権利者とすることも、Cを登記権利者とすることもできる（登研184-70）。

⑤ 仮登記担保

051 □□□　平6-26-ウ

担保仮登記の後に登記された抵当権を有するＡが清算金の差押えをした場合において、担保仮登記の権利者Ｂが、清算金を供託した日から１か月を経過した後に、その担保仮登記に基づき本登記を申請するときは、清算金の差押えを受けたこと及び清算金を供託したことを証する書面をもって申請書に添付すべきＡの承諾書に代えることができる。

○ **051**

担保仮登記の権利者は、清算金を供託した日から1か月を経過した後に、その担保仮登記に基づく本登記を申請する場合には、担保仮登記後に登記されている先取特権、質権もしくは抵当権を有する者又は後順位の担保仮登記の権利者が清算金の差押えをしたこと及び清算金を供託したことを証する情報を申請情報と併せて提供することをもって、これらの者の承諾を証する情報に代えることができる（仮登記担保18、不登令別表69項添イ括弧書）。

第6編

登記名義人表示変更登記

1 登記名義人表示変更登記

001 □□□ 平19-24-ウ（平26-19-イ）

買戻しの特約の登記の抹消を申請する場合において、登記義務者である買戻権者の現住所が登記記録上の住所と異なるときは、当該買戻権者の住所について変更が生じたことを証する情報を提供して当該登記の抹消を申請することができる。

002 □□□ 平24-17-3（平21-27-オ）

登記名義人が数回にわたって住所を移転している場合には、その最後の住所移転の日付のみを登記原因の日付として登記名義人の住所の変更の登記を申請することができる。

003 □□□ 平4-24-1（平21-27-エ）

登記名義人が離婚により婚姻前の氏に復した場合において、登記名義人の氏名の変更の登記を申請するときは、申請書に記載すべき登記原因は、氏名変更である。

004 □□□ 平22-12-イ

所有権の移転の仮登記がされた後、仮登記名義人の住所に変更があった場合には、当該仮登記に基づく本登記の申請の添付情報として、仮登記名義人の住所の変更を証する情報を提供すれば、仮登記名義人の住所の変更の登記の申請を省略することができる。

○ **001**

所有権以外の権利の抹消登記を申請する場合において、登記義務者について名変事由が存在するときでも、変更（更正）を証する情報を提供すれば、前提としての登記名義人表示変更（更正）登記申請を省略することができる（昭31.10.17民甲2370号、昭32.6.28民甲1249号）。また、「所有権に関する仮登記」又は「所有権を目的とする買戻権の登記」は所有権以外の権利として取り扱われる。

○ **002**

登記名義人が数回にわたって住所を移転している場合には、一の申請により、最後の登記原因の日付のみを記載して、直ちに現在の住所に変更することができる（昭32.3.22民甲423号）。

○ **003**

登記名義人が離婚により前の姓に復したことによる氏名変更登記を申請する場合、登記名義人のプライバシーを保護する見地から、その登記原因は、単に氏名変更とすれば足りる（登研388-80）。

× **004**

仮登記に基づく本登記の申請に際し、仮登記権利者の住所又は氏名に変更があった場合には、仮登記名義人の住所の変更登記を省略することはできない（昭38.12.27民甲3315号）。

005 □□□ 令4-26-オ

Aが所有権の登記名義人である甲不動産に売買予約を原因としてBを登記名義人とする所有権移転請求権保全の仮登記（以下「本件仮登記」という。）がされている場合において、Bの住所に変更があり、その後、Bが売買予約を解除した場合には、Bは、住所の変更の登記をすることなく、住所の変更があったことを証する情報を提供して、本件仮登記の抹消を申請することができる。

006 □□□ 平4-24-2（平24-17-5）

登記権利者が、和解調書に基づき単独で所有権移転の登記を申請する場合において、同調書上に登記義務者の表示として、その登記記録上の住所とこれと異なる現在の住所が併記されているときは、登記名義人の住所の変更の登記を申請することを要しない。

007 □□□ 平24-17-4

表題部所有者が住所を移転し、表題部に記載された住所と現在の住所とが異なることになった場合であっても、表題部所有者は、住所の変更を証する情報を提供して、表題部所有者の住所の変更の登記をしないで、直ちに所有権の保存の登記を申請することができる。

008 □□□ 平4-24-3（平19-27-エ）

A・B共有の不動産について、Bの持分放棄を登記原因として、Aのために持分移転の登記を申請する場合において、登記名義人Aの現在の住所と登記記録上の住所が異なるときは、その前提として、登記名義人Aの住所の変更の登記を申請することを要する。

○ **005**

所有権の移転又はその請求権の保全の仮登記の抹消を申請する場合において、仮登記の登記名義人の氏名等に変更を生じたときは、その変更を証する情報を提供して、仮登記の登記名義人の氏名等の変更の登記の申請を省略することができる（昭32.6.28民甲1249号）。

× **006**

25条７号の趣旨から鑑みれば、裁判所が関与する和解に基づき本肢の和解調書を登記原因証明情報として提供して登記の申請をする場合でも、登記義務者の登記記録上の住所と現在の住所が異なる以上、その同一性を確認することができなくなる。したがって、住所の変更の登記を省略することはできない（登研476-140）。

○ **007**

表題部に記載された所有者の住所が変更した場合、当該変更を証する情報を提供して直接所有権保存の登記を申請することができる（登研213-71）。

○ **008**

Ａの現住所が登記記録上の住所と異なる場合、Ａの同一性を判断することができなくなり、共有者以外の者への持分放棄による移転登記の申請として却下されることとなる（昭60.12.2民三5441号参照）。したがって、その前提としてＡの住所の変更の登記をする必要がある（登研473-151）。

009 □□□ 平21-27-ア

抵当権の登記の抹消を申請する場合において、当該抹消の登記権利者の住所に変更を生じているときは、申請情報と併せて当該変更を証する情報を提供すれば足りる。

010 □□□ 平21-27-ウ（令2-13-エ）

遺贈を原因とする所有権の移転の登記を申請する場合には、遺贈者の登記記録上の住所が死亡時の住所と相違しているときであっても、前提として登記名義人の住所の変更の登記を申請する必要はない。

011 □□□ 令2-17-ア

判決による所有権の移転の登記を申請する場合において、登記義務者である被告の現在の住所が住所の移転により登記記録上の住所と相違しているときは、判決書正本に被告の現在の住所とともに登記記録上の住所が併記されているときであっても、前提として所有権の登記名義人の住所についての変更の登記を申請しなければならない。

012 □□□ 令2-17-イ

贈与を登記原因とする所有権の移転の登記を申請する場合において、所有権の登記名義人の住所が行政区画の名称の変更により「甲市乙町1473 番地」から「甲市丙町1473 番地」に変更されているときは、前提として所有権の登記名義人の住所についての変更の登記を申請しなければならない。

× **009**

抵当権の登記の抹消を申請する場合において、申請情報の登記権利者（所有権登記名義人）の表示が登記記録と符合しないときは、変更（更正）証明情報を提供しても、却下される（登研355-90・371-76）。

× **010**

遺贈を原因とする所有権の移転の登記を申請する場合には、遺贈者の登記記録上の住所が死亡時の住所と相違している場合には、登記名義人の住所の変更の登記を申請しなければならない（登研380-81）。

○ **011**

判決に基づいて所有権の移転の登記を申請する場合において、判決書の正本に記載された登記義務者である被告の住所の表示が、登記記録における被告の住所の表示と一致しないときは、判決書の正本に現在の住所と登記記録上の住所が併記されていても、前提として登記名義人の住所の変更又は更正の登記を申請することを要する（登研611-171）。

× **012**

地番の変更を伴わない行政区画の変更があった場合、当該行政区画の変更は公知の事実であるため、登記名義人は住所の変更の登記を申請することを要しない（登研748-48参照）。

013 □□□　令2-17-ウ

錯誤を登記原因としてAからBへの所有権の移転の登記の抹消を申請する場合において、Aが養子縁組したことにより現在の氏名と登記記録上の氏名とが相違しているときは、前提としてAの氏名についての変更の登記を申請しなければならない。

014 □□□　令2-13-イ

乙区1番賃借権の登記名義人であるA株式会社から賃借物の転貸を受けたBを登記名義人とする転貸の登記が乙区1番付記1号でされた後、Bの住所移転により登記記録上の住所とBの現在の住所が異なることとなった場合において、乙区1番付記1号転借権の登記の抹消を申請するときは、その前提として、Bの住所の変更の登記の申請をしなければならない。

015 □□□　令6-18-ウ

甲不動産の所有権の登記名義人である特例有限会社が株式会社へ移行した場合には、甲不動産についてする所有権の登記名義人の名称の変更の登記の登記原因は、組織変更である。

× **013**

所有権の移転の登記を抹消する場合に、申請情報の内容とすべき登記権利者である前所有権の登記名義人の氏名又は住所が登記記録上の表示と一致しないときは、その変更を証する情報を提供して当該所有権の移転の登記の抹消を申請することができる（登研435-117）。

× **014**

抵当権等の所有権以外の権利の登記の抹消を申請する場合に、当該権利の登記名義人（個人又は法人のいずれも含む。）の氏名又は住所（商号又は本店）が変更したが、その氏名又は住所の変更の登記が未了のため、申請情報の内容とすべき登記義務者の表示が登記記録上の表示と一致しないときは、その変更を証する情報を提供すれば、その変更の登記を省略して直ちに当該登記の抹消を申請することができる（昭31.10.17民甲2370号）。

× **015**

所有権の登記名義人である特例有限会社がその定款を変更し、通常の株式会社に移行した場合、商号変更を登記原因として登記名義人の名称の変更の登記を申請することができる（登研700-199）。

第7編
用益権に関する登記

❶ 地上権・永小作権に関する登記

地上権設定

001 □□□ 平22-16-ア

区分地上権以外の普通地上権設定の登記は、既に区分地上権以外の普通地上権の設定の登記がされている不動産についても、申請することができる。

002 □□□ 平元-15-4（平6-16-イ、平11-27-ア、平27-22-ア）

同一土地上に地上権設定の登記がある場合でも、登記記録上その存続期間の経過したことが明らかであるときは、さらに地上権設定の登記を申請することができる。

003 □□□ 平元-15-1（平6-16-ア）

地下又は空間の一定範囲を目的とする地上権の設定登記の申請は、同一土地上に地上権設定の登記がある場合には、することができない。

004 □□□ 平5-27-イ（平7-12-5）

建物の所有を目的とする地上権設定の登記については、登記義務者が同時に登記権利者となる場合であっても、他に登記権利者があるときは、その申請をすることができる。

× **001**

地上権は、土地を全面的に利用するための物権であるから、ある土地の上に既に地上権が設定されているときは、更に地上権を設定することはできない（昭37.5.4民甲1262号）。

× **002**

「登記が存在する以上、その有効・無効にかかわりなく、以後は何人といえども登記手続上これを無視して行動できない」という登記の形式的確定力により、既に地上権設定登記が存在する場合には、その存続期間が満了しているときでも、その登記を抹消しない限り、重ねて地上権設定登記の申請をすることができない（昭37.5.4民甲1262号）。

× **003**

地下又は空間における工作物所有のための地上権は、同一土地上に設定された地上権と重複して成立させることができる。この場合、区分地上権を設定するには、その地上権者の承諾が必要となる（民269の2Ⅱ）。

○ **004**

借地借家法の適用のある借地権の場合に、借地権設定者が第三者とともに借地権を有することになる場合に限り、借地権の設定が認められている（借地借家15Ⅰ）。

005 □□□ 平18-16-ア（平22-16-イ）

地上権の設定の登記を申請する場合、地代、地代の支払時期の定め、地上権の譲渡又は目的不動産の賃貸を禁止する旨の特約はすべて申請情報の内容となる。

006 □□□ 平18-17-ア（令2-20-イ）

地上権の存続期間を「永久」として、地上権の設定の登記を申請することはできない。

007 □□□ 平4-27-2（平8-21-エ、平18-17-イ）

スキー場所有又はゴルフ場所有を目的とする地上権設定登記の申請は、することができない。

008 □□□ 平18-17-オ

強制競売において成立した法定地上権の設定の登記は、「法定地上権設定」を登記原因とし、買受人が代金を納付した日を登記原因の日付として申請することができる。

009 □□□ 平27-22-ウ（平元-15-3）

区分地上権の設定の登記を申請する場合は、添付情報として、その範囲を明らかにする図面を提供しなければならない。

× **005**

地上権の設定の登記の申請情報の内容とする事項は、「設定の目的」、「存続期間」、「地代又はその支払時期の定め」等（不登令別表33項、78）であり、「地上権の譲渡又は目的不動産の賃貸を禁止する旨の特約」は申請情報の内容とならない。

× **006**

地上権の存続期間は制限されておらず、永久とすることもでき（大判明36.11.16）、存続期間を永久とする地上権設定登記の申請をすることができる（大判大14.4.14）。

× **007**

地上権は工作物又は竹木所有を目的として設定することができる（民265）。スキー場、ゴルフ場は、それらを構成する建物・竹木・その他施設等の全体を１個の工作物と考えることができるので、それらの所有を目的とする地上権設定登記を申請することができる（昭47.9.19民三447号等）。

○ **008**

法定地上権の設定の登記は、「法定地上権設定」を登記原因とし、買受人が代金を納付した日を登記原因日付として申請することができる。

× **009**

区分地上権の設定登記を申請する場合、添付情報として、範囲を明らかにする図面の提供は要求されていない（昭41.11.14民甲1907号）。

010 □□□ 平11-27-ウ

階層的区分建物の特定階層を所有することを目的とする区分地上権の設定登記は、申請することができない。

011 □□□ 平18-17-エ

区分地上権の設定の登記を申請する場合において、当該区分地上権の目的である土地について不動産質権の登記がされているときは、当該不動産質権の登記名義人の承諾を証する情報を提供しなければならない。

012 □□□ 平27-22-イ

建物所有を目的とする地上権の設定の登記がされている土地について、区分地上権の設定の登記の申請をする場合は、添付情報として、登記されている地上権の登記名義人が承諾したことを証する情報を提供しなければならない。

013 □□□ 平10-12-イ

竹木所有を目的として、地下５ｍから地上15ｍまでを範囲とする区分地上権の設定登記をすることはできない。

永小作権に関する登記

014 □□□ 平18-16-イ

永小作権の設定の登記を申請する場合、小作料、小作料の支払時期の定め、永小作権の譲渡又は目的不動産の賃貸を禁止する旨の特約はすべて申請情報の内容となる。

○ **010**

一棟の建物の特定階層は、一棟全体の構造と不分離一体の関係に立っている。したがって、特定階層のみの所有を目的とする区分地上権を設定し得る余地はない（昭48.12.24民三9230号）。

○ **011**

先順位の登記された不動産質権者は利害関係人となるため、区分地上権の設定登記を申請する場合、当該不動産質権の登記名義人の承諾を証する情報を提供しなければならない（民269の２Ⅱ、不登令７Ⅰ⑤ハ）。

○ **012**

区分地上権設定の登記を申請する場合は、登記されている地上権の登記名義人が承諾したことを証する情報を提供しなければならない。

○ **013**

区分地上権の設定の目的は、工作物の所有に限定されている（民269の２Ⅰ）。したがって、竹木所有を目的として区分地上権を設定することはできない。

○ **014**

永小作権の設定の登記の申請情報の内容とする事項は、「小作料」、「存続期間又は小作料の支払時期の定め」、「民法第272条ただし書の定め」等である（不登令別表34項、不登79）。したがって、すべて申請情報の内容となる。

❷ 地役権に関する登記

015 □□□ 平22-16-エ（平2-21-2）

地役権の設定の登記の申請は、一筆の土地の一部分についてもすることができる。

016 □□□ 平13-25-ウ

土地の一部に通行地役権を設定する場合、範囲の記載を「地役権図面のとおり」として登記をすることができる。

017 □□□ 平13-25-イ

要役地が共有である場合、その共有者の一人のために通行地役権の設定登記をすることができる。

018 □□□ 平23-16-エ

要役地の共有者の一人が時効により地役権を取得した場合には、当該要役地の他の共有者の一人は、承役地の所有者とともに、地役権の設定の登記を申請することができる。

019 □□□ 平17-27-イ

地役権の設定の登記を申請する場合において、地役権について対価の定めがあるときは、当該定めを申請情報の内容としなければならない。

020 □□□ 平22-16-イ

地役権設定の登記をするときは、存続期間の定めを登記することができる。

○ **015**

地役権の設定の登記の申請は、承役地の一部分であっても、申請情報と併せてその範囲を明らかにする図面の提供をして（不登令別表35添ロ）、登記を申請することができる。

× **016**

地役権設定登記において、範囲を「別紙図面のとおり」として登記することはできない（登研453-124）。

× **017**

地役権は、要役地全部の利益のために承役地の物質的利用を目的とする権利であるから、要役地がA・Bの共有である場合であっても、Aの持分のために地役権設定の登記をすることはできない（登研309-77）。

○ **018**

要役地が共有である場合に、承役地に対して行う地役権設定の登記は、要役地共有者の一人が、保存行為として共有者全員のために、承役地所有者と共同で申請することができる。

× **019**

地役権の登記における登記事項は、要役地、地役権の設定の目的及び範囲等であり（80Ⅰ参照）、対価の定めは登記事項とされていない。

× **020**

地役権は、設定当事者間で存続期間を定めることはできるが、存続期間を登記することができる旨の規定が存しない（80参照）ため、登記することはできない。

021 □□□ 平18-16-ウ

承役地についてする地役権の設定の登記を申請する場合、要役地の管轄登記所の表示、地役権設定の目的及び範囲、要役地の所有権とともに移転せず、又は要役地について存する他の権利の目的とならない旨の特約はすべて申請情報の内容となる。

022 □□□ 令4-22-ウ

Aが所有権の登記名義人である甲土地を承役地とし、所有権の登記はないがBを表題部所有者とする表題登記のある乙土地を要役地とする地役権の設定の登記の申請は、することができない。

023 □□□ 平27-22-エ（平5-27-ア、平9-17-3）

甲土地を要役地、乙土地を承役地とする地役権の設定の登記を、乙土地を管轄する登記所に書面により申請する場合は、甲土地が他の登記所の管轄に属するときであっても、甲土地の登記事項証明書を提供することを要しない。

024 □□□ 平29-22-ア（平7-12-4、平23-16-ア）

甲土地の地上権の登記名義人であるAは、自己の地上権の存続期間の範囲内において、乙土地の所有権の登記名義人であるBと共同して、甲土地を要役地とし、乙土地を承役地とする地役権の設定の登記を申請することができる。

025 □□□ 平23-16-ウ

承役地に対し、民法第287条による放棄を登記原因とする所有権の移転の登記がされた場合には、承役地及び要役地の地役権の登記は、職権で抹消される。

×　**021**

「要役地の表示」は申請情報の内容となるが、「要役地の管轄登記所の表示」は申請情報の内容とならない（不登令別表35項、不登80Ⅰ参照）。

○　**022**

要役地に所有権の登記がないときは、承役地に地役権の設定の登記をすることができない（80Ⅲ）。

×　**023**

要役地が他の登記所の管轄区域内にあるときは、当該要役地の登記事項証明書を提供しなければならない（不登令別表35項添ハ）。これは、地役権者としての申請人が、要役地について所有権者等の登記名義人であることを証するためのものである。

○　**024**

要役地の地上権の登記名義人は、その権利の存続期間の範囲内において、地役権者となることができる（昭36.9.15民甲2324号）。

×　**025**

地役権が混同により消滅した場合、その抹消は、承役地については当事者の申請により、要役地については登記官の職権により行う（不登規159Ⅲ～Ⅴ）。

026 □□□ 平2-21-3（平6-16-オ、平13-25-ア、平22-16-ア）

同一の土地を承役地として、異なる地役権者のために、数個の地役権設定の登記の申請をすることができる。

027 □□□ 平19-25-ウ

A所有の土地のために甲土地の一部を承役地とする通行を目的とする地役権の設定の登記がされている場合において、B所有の土地のために甲土地の同一部分を承役地とする通行を目的とする地役権の設定の登記を申請するときは、Aの承諾を証する情報の提供を要しない。

028 □□□ 平13-25-エ

賃借権の設定登記がされている土地について、通行地役権の設定登記をすることができる。

029 □□□ 平2-21-5（平11-27-エ）

設定の目的を「日照の確保のため高さ何メートル以上の工作物を設置しない」とする地役権設定の登記の申請は、することができる。

030 □□□ 平17-27-オ（平7-12-2）

要役地の地役権の登記である旨の登記がされた土地について、所有権の移転の登記を申請する場合には、承役地について、地役権の変更の登記を申請することを要しない。

○ **026**

一筆の承役地に対して数筆の異なる要役地のための地役権設定の登記の申請は受理される（昭38.2.12民甲390号）。

○ **027**

地役権は土地と土地の間の利用関係を調整する権利なので、先に成立した地役権の目的と後の地役権の目的が両立し得るものである限り、同一土地を承役地として、異なる地役権者のために数個の地役権設定の登記の申請をすることができる（昭38.2.12民甲390号）。先の地役権者と後の地役権者の通行権は両立し得るので、Aの承諾を証する情報を提供することを要しない。

○ **028**

同一の不動産上に二つの異なる用益権が現実に両立し得る場合においては、二つの用益権の設定及びその登記の重複が許されると解されている。

○ **029**

本肢の設定の目的の申請は受理される（昭54.5.9民三2863号）。その他「庭園観望」、「通行」、「用水使用」等内容に関して特に制限はない。

○ **030**

要役地につき所有権移転の登記がされた場合でも、地役権についての登記をすることは要しない（昭35.3.31民甲712号参照）。

031 □□□ 平29-22-オ（平10-12-オ）

Aが所有権の登記名義人である甲土地を要役地とし、Bが所有権の登記名義人である乙土地を承役地として、地役権は要役地の所有権とともに移転しない旨の特約を内容とする地役権の設定の登記がされている場合において、甲土地につき、AからCへの所有権の移転の登記がされたときは、Bは、単独で当該地役権の登記の抹消を申請することができる。

032 □□□ 平29-22-ウ

Aが所有権の登記名義人である甲土地を要役地とし、Bが所有権の登記名義人である乙土地を承役地とする地役権の設定の登記の後に、甲土地の地番について土地区画整理事業の施行による変更があった場合、AとBは共同して乙土地の地役権の変更の登記を申請することができる。

033 □□□ 平16-16-ア

地役権変更の登記の申請書には、要役地を記載することを要しないが、要役地が他の登記所の管轄に属するときは、地役権者が要役地の所有権の登記名義人であることを証する書面を添付しなければならない。

034 □□□ 平17-27-ウ

地役権の設定の登記を申請する場合において、地役権設定の範囲が承役地の一部であるときは地役権を設定する範囲を申請情報の内容としなければならないが、地役権設定の範囲が承役地の全部であるときは地役権を設定する範囲を申請情報の内容とすることを要しない。

× **031**

「地役権は要役地とともに移転しない」旨の定めがある地役権の要役地について、所有権が移転した場合(民281Ⅰ但書)、実体上、地役権は消滅する（昭36.4.4民甲812号）。そして、この場合、承役地につき、地役権設定の登記の抹消を申請することができる。当該承役地地役権の登記の抹消は、承役地所有者等を登記権利者、地役権設定当時の要役地所有者等を登記義務者とする共同申請による（登研165-16）。

○ **032**

地役権の設定の登記後に、他の登記所の管轄に属する要役地について、土地区画整理事業の施行により地番の変更があった場合、地役権者と承役地の所有権等の登記名義人は共同して、承役地につき地役権の変更（要役地の不動産所在事項の表示変更）の登記を申請することができる（登研487-167）。

○ **033**

地役権の変更登記においては、地役権設定登記と異なり、申請書に要役地の表示を記載することを要しない(登研411-86)。しかし、要役地が他の登記所の管轄区域内にあるときは、当該要役地の登記事項証明書を提供しなければならない（不登令別表36項添ハ）。

× **034**

地役権の設定の登記は、一筆の土地の一部についても設定することができ、承役地の一部に設定する場合、その範囲を申請情報の内容としなければならない（不登令別表35項、不登80Ⅰ②）。また、地役権の設定の範囲が承役地の全部であるときは、地役権の範囲を「全部」とし、その旨を地役権の設定登記の申請情報の内容としなければならない。

035 □□□ 平16-16-イ

地役権設定の登記の申請書には、地役権設定の目的及び範囲を記載し、地役権が承役地の全部又は一部について設定されたことを示す地役権図面を添付しなければならない。

036 □□□ 平16-16-ウ

要役地の地上権者を地役権者とする地役権の登記がある場合において、当該地上権の登記が抹消されたときは、承役地の所有権の登記名義人は、単独で当該地役権の登記の抹消を申請することができる。

037 □□□ 平16-16-エ

地役権の登記がされた後に、その要役地について抵当権設定の登記がされているときは、当該地役権の登記の抹消の申請書には、当該抵当権者の承諾書又はこれに対抗することのできる裁判書の謄本を添付しなければならない。

038 □□□ 平19-25-エ

地役権の設定の登記がされる前にその要役地について所有権の移転の仮登記がされていた場合において、当該地役権の設定の登記の抹消を申請するときは、当該仮登記の登記権利者の承諾を証する情報の提供を要する。

× **035**

地役権設定の範囲が承役地の一部である場合においては、申請情報と併せてその範囲を明らかにする図面（地役権図面）を提供することを要する（不登令別表35項添ロ）。これに対して、地役権が承役地の全部について設定された場合には、地役権図面を提供することは要しない。

× **036**

要役地の地上権者を地役権者とする地役権の登記がある場合において、当該地上権の登記が抹消されたときでも、承役地の所有権の登記名義人が単独で当該地役権の登記の抹消を申請することはできない（60）。

○ **037**

地役権の登記がされた後に、その要役地について抵当権設定の登記がされているときは、当該地役権の登記の抹消の申請情報と併せて、当該抵当権者の承諾を証する当該抵当権者が作成した情報又は当該抵当権者に対抗することのできる裁判があったことを証する情報を提供しなければならない（不登令別表37項添ハ）。

× **038**

地役権設定登記前に要役地にされた抵当権、差押え等の権利に関する登記又は所有権移転の仮登記の権利者は、地役権抹消登記についての登記上の利害関係人とはならない（登研466-115）。

039 □□□ 平16-16-オ

要役地を譲り受けて所有権の登記名義人となった者が登記義務者となる地役権変更の登記の申請書には、登記義務者の登記識別情報として、当該地役権設定の際に通知された登記識別情報を記載した書面を添付しなければならない。

× 039

要役地を譲り受けて所有権につき登記名義人となった者が登記義務者となる地役権変更の登記の申請には、登記義務者の登記識別情報として、所有権移転登記の際に通知された登記識別情報を申請情報と併せて提供する（昭37.6.21民甲1652号参照）。

❸ 賃借権に関する登記

040 □□□ 平20-23-ア

賃借権の先順位抵当権に優先する同意の登記の登記権利者は、当該賃借権の賃借人であり、すべての先順位抵当権者が登記義務者となる。

041 □□□ 平20-23-イ

賃借権の先順位抵当権に優先する同意の登記は、当該賃借権につき仮登記がされている場合はすることができない。

042 □□□ 平20-23-ウ

賃借権の先順位抵当権に優先する同意の登記は、民法第387条の改正規定の施行の日（平成16年4月1日）前に設定された賃借権についてはすることができない。

043 □□□ 平20-23-エ

賃借権の先順位抵当権に優先する同意の登記の申請をする場合には、登記の目的は「○番賃借権変更」とし、登記原因は「平成○○年○月○日同意」とする。

044 □□□ 平23-17-イ

賃借権の設定の登記がされている賃貸借契約に、賃借権の譲渡又は転貸をすることができる旨の特約があっても、当該賃借権を目的とする質権の設定の登記の申請をすることはできない。

○ **040**

賃借権の先順位抵当権に優先する同意の登記は、当該賃借権の権利者（賃借人）を登記権利者、総先順位抵当権者を登記義務者とする共同申請により行う（平15.12.25民二3817号）。

× **041**

賃借権の先順位抵当権に優先する同意の登記について、民法387条1項に規定する「登記をした賃貸借」には、賃借権の仮登記も含まれる（登研686-403）。

× **042**

賃借権の先順位抵当権に優先する同意の登記は、民法387条の改正規定の施行前に設定された賃借権についても適用される（平15.12.25民二3817号）。

× **043**

賃借権の先順位抵当権に優先する同意の登記を申請する場合、登記の目的は「○番賃借権の○番抵当権、○番抵当権に優先する同意」とし、登記原因は「平成○○年○月○日同意」となる（平15.12.25民二3817号）。

× **044**

賃借権の譲渡又は賃借物の転貸をすることができる旨の特約の登記のある賃借権を目的として質権を設定し、その旨の登記を申請することができる（昭30.5.16民甲929号）。

045 □□□ 平30-23-ウ

賃借権の譲渡又は賃借物の転貸を許す旨の定めがある賃借権の設定の登記がされている場合において、当該賃借権を目的とする質権の設定の登記を申請するときは、賃貸人の承諾を証する情報を提供することを要する。

046 □□□ 平18-27-ア

土地の地目が雑種地や山林でも、事業用借地権を設定する旨の登記を申請することができる。

047 □□□ 平18-27-イ

社宅は、従業員等の居住用で、会社や事業主の事業用とは認められないため、社宅の所有を目的とする事業用借地権を設定する旨の登記を申請することはできないが、賃貸マンションは、賃借人が居住していても賃貸人である事業者の事業用と認められるため、賃貸マンションの所有を目的とする事業用借地権を設定する旨の登記を申請することはできる。

048 □□□ 平18-27-オ

事業用借地権の譲渡を公正証書によらずに契約し、公正証書を提供しないで事業用借地権を移転する旨の登記を申請することはできない。

049 □□□ 平23-17-ア

土地の賃貸借契約において、賃借権の設定の登記をすることの特約がない場合には、賃借人は、賃貸人に対し、賃借権の設定の登記手続を請求することができない。

× **045**

賃借権の譲渡又は賃借物の転貸をすることができる旨の定めが登記されている場合は、賃貸人の承諾を証する情報を提供することを要しない（不登令別表39項添ロ括弧書）。

○ **046**

事業用借地権を設定する土地の地目が宅地ではなく、雑種地や山林でも、事業用借地権を設定することができる。地目が雑種地や山林であることによって事業用借地権の設定の可否が左右されるものではない。

× **047**

事業用借地権は、専ら事業の用に供する建物の所有を目的とするものでなければならない。社宅は、事業の一環ではあっても、現実に従業員の居住に供されるから、対象外となる。そして、事業の用に供するものであっても、居住の用に供するものであってはならないので、賃貸マンションは、賃貸業という観点からは事業に該当するが、建物賃借人の居住に供されるものであるから、事業用借地権を利用して建設することはできない（登研537-46）。

× **048**

公正証書によることが要求されているのは、設定契約のみであり、事業用借地権の譲渡契約、その変更契約等は、公正証書によることは要しない（登研537-49）。

○ **049**

賃借権は債権であるため、賃貸人が登記することを承諾する特約がない場合には、賃借人は、賃貸人に対して、賃借権設定の登記手続を請求することができない（大判大10.7.11）。

050 □□□　平27-22-オ（平17-23-ウ）

宅地である甲土地について賃借権の設定の登記を申請する場合は、その申請情報の内容として、賃料の定めを、「乙土地を使用収益する」とすることができる。

051 □□□　平23-17-ウ（平17-23-ア）

同一の不動産につき、賃借権者を異にする同順位の複数の賃借権の設定の登記の申請をすることができる。

052 □□□　平4-28-4（平19-25-オ）

転借権が登記されている場合において、賃借権の賃料を増額する変更登記を申請するときは、当該転借権登記名義人の承諾書を添付することを要しない。

053 □□□　平10-12-ア

賃借権設定登記に、譲渡・転貸を許す旨の特約が既に登記されている場合には、転貸借契約において転借権の譲渡・再転貸を許す旨の特約があっても、その特約を登記することはできない。

054 □□□　平23-17-エ

建物の賃借権の設定の登記の申請をする場合において、賃貸借契約に敷金があっても、その旨の登記の申請をすることはできない。

○ **050**

賃料の定めは必ずしも金銭である必要はない。

○ **051**

既に賃借権設定の登記がされている土地に、重ねて賃借権設定の登記を申請することができる（昭30.5.21民甲972号）。そして、賃借権者を異にする同順位の賃借権設定の登記も、申請することができる（登研459-98）。

○ **052**

賃借権における賃料が増額されたからといって、法律上当然には転借権の賃料が増額されるものではない。したがって、転借権登記名義人は登記上の利害関係人には該当しない（登研212-55参照）。

× **053**

賃貸借契約における譲渡・転貸を許す旨の特約と転貸借契約における転借権の譲渡・再転貸を許す旨の特約は、実体上、互いに抵触するものではないので、賃借権設定登記に譲渡・転貸を許す旨の特約が既に登記されている場合でも、転貸借契約における転借権の譲渡・再転貸を許す旨の特約を登記することができる。

× **054**

建物の賃借権設定の登記の申請をする場合において、賃貸借契約に敷金がある場合、その旨の登記を申請しなければならない（81④）。

055 □□□ 平18-16-エ

賃借物の転貸の登記を申請する場合、敷金がある旨、転貸人が財産の処分につき行為能力の制限を受けた者である旨、転借権の譲渡又は転借物の転貸を禁止する旨の特約はすべて申請情報の内容となる。

056 □□□ 平11-27-オ（平30-22-ウ）

甲・乙二筆の土地を月額合計金10万円で賃貸した場合、その旨を賃料として記載した賃借権設定の登記は、申請することができない。

057 □□□ 令2-20-オ

地目が畑である土地の賃借権について、存続期間を70年とする賃借権の設定の登記を申請することができる。

058 □□□ 平17-23-イ

一定の時期に賃料の前払をする旨の定めがあるときは、その旨を賃料の支払時期の定めとして賃借権の登記を申請することができる。

059 □□□ 平17-23-エ（令2-20-ウ）

Aを賃借人とする賃借権について、「存続期間　Aが死亡するまで」として、賃借権の登記を申請することができる。

× **055**

転貸借の登記の申請情報となるのは、「転借権の譲渡又は転借物の転貸を許す旨の定め」であり、「転借権の譲渡又は転借物の転貸を禁止する旨の特約」は申請情報の内容とならない（81、不登令別表39項参照）。

○ **056**

複数の土地につき合わせて賃料を定めた賃借権設定登記の申請は、25条5号により却下される（昭54.4.3民三課長電信参照）。

× **057**

借地借家法の適用がない賃貸借の存続期間は、50年を超えることができず、契約でこれより長い期間を定めたときであっても、その期間は、50年となる（民604Ⅰ）。

○ **058**

一定の時期に賃料の前払をする定めがあるときは、その旨を賃料の支払時期の定めとして、賃借権の登記を申請することができる（大判昭6.7.8参照）。

○ **059**

賃貸借契約において、存続期間を定めることができ（民604）、賃借権の設定登記の申請には、存続期間の定めがあるときはその定めを申請情報の内容としなければならない（不登令別表38項申、不登81②）。そして、存続期間を、「Aが死亡するまで」として、賃借権の登記を申請することができる（昭38.11.22民甲3116号）。

060 □□□ 平23-17-オ

賃借物の転貸の登記が付記登記でされている賃借権の設定の登記の抹消を申請する場合において、転借権者の承諾を証する情報が提供されたときは、当該転借権の登記は、職権で抹消される。

061 □□□ 令2-13-ア

乙区１番賃借権の登記名義人であるＡ株式会社から賃借物の転貸を受けたＢを登記名義人とする転貸の登記が乙区１番付記１号でされた後、Ａ株式会社がＣ株式会社に吸収合併された場合において、当該吸収合併の後に生じた原因に基づき、乙区１番付記１号転借権の登記の抹消を申請するときは、その前提として、合併を原因とする乙区１番賃借権の移転の登記の申請をしなければならない。

062 □□□ 平30-22-イ

Ａを所有権の登記名義人とする甲土地について、Ｂを賃借権者とする賃借権の設定の登記がされている場合において、Ｂが賃借権の一部をＡに譲渡したときは、Ａは、当該賃借権について混同を登記原因とする賃借権の登記の抹消を申請することができる。

063 □□□ 平30-22-エ

不在者であるＡを所有権の登記名義人とする甲土地について、家庭裁判所により、Ａのために不在者の財産管理人Ｂが選任されている場合において、Ｂを賃貸人、Ｃを賃借人とする賃借権の設定の登記を申請するときは、賃貸人が財産の処分の権限を有しない者である旨として「管理人Ｂの設定した賃借権」を申請情報の内容としなければならない。

○ **060**

賃借権を原賃借権とする転借権の登記名義人は、賃借権設定の登記の抹消について、登記上の利害関係を有する第三者に当たる。賃借物の転貸の登記が付記登記でされている賃借権設定の登記の抹消を申請する場合において、転借権者の承諾を証する情報が提供されたときは、当該転借権の登記は、職権で抹消される。

○ **061**

転借権の設定者（賃借権の登記名義人）が吸収合併された後に、当該転借権が消滅した場合、当該転借権の登記の抹消を申請する前提として、合併による賃借権の移転の登記を申請することを要する（登研661-225参照）。

× **062**

賃借権者が賃借権の一部（準共有持分）を所有権の登記名義人に譲渡した場合であっても、混同は生じない（昭38.6.18民甲1733号）。

○ **063**

賃貸人が財産の処分につき行為能力の制限を受けた者又は財産の処分の権限を有しない者である旨は、賃借権の設定の登記の申請情報の内容となる（不登令別表38項申、不登81⑤）。そして、当該定めのある登記を申請する場合は、賃貸人が財産の処分の権限を有しない者である旨として「管理人何某の設定した賃借権」を申請情報の内容としなければならない（平28.6.8民二386号記録例294）。

064 □□□ 平14-21-エ（平19-25-イ）

地上権を目的とする賃借権設定登記の申請書には、地上権設定者の承諾書を添付することを要しないが、賃借地の転貸の登記の申請書には、賃借地の転貸ができる旨の登記がある場合を除き、賃貸人の承諾書を添付しなければならない。

○ **064**

地上権を目的とする賃借権設定登記の申請情報と併せて、地上権設定者の承諾を証する情報を提供することを要しない。これに対して、賃借人は、賃貸人の承諾を得なければ、その賃借権を第三者に譲渡又は転貸することができない（民612Ⅰ）。

4 配偶者居住権に関する登記

065 □□□ 令3-24-ア

登記原因を遺産分割として配偶者居住権の設定の登記を申請する場合には、被相続人の死亡の日を登記原因の日付としなければならない。

066 □□□ 令3-24-イ

被相続人が所有権の登記名義人である建物について配偶者居住権の設定の登記の申請をするときは、その前提として当該建物について被相続人から承継人への所有権の移転の登記をすることを要しない。

067 □□□ 令3-24-ウ

配偶者居住権の設定を内容とする死因贈与契約を締結したときは、贈与者の生存中に当該配偶者居住権の設定の仮登記を申請することができる。

068 □□□ 令3-24-エ

配偶者居住権の設定の登記がされた後に配偶者居住権の存続期間が短縮されたときは、当該短縮を内容とする配偶者居住権の変更の登記を申請することはできない。

× **065**

遺産分割協議により配偶者居住権を取得した配偶者が、配偶者居住権の設定の登記を申請する場合、登記原因の日付は、遺産分割協議が成立した日である（令2.3.30民二324号）。

× **066**

配偶者居住権の設定の登記は、原則として、居住建物の所有者を登記義務者、配偶者居住権を取得した配偶者を登記権利者として申請する（令2.3.30民二324号）。そのため、被相続人が所有権の登記名義人である居住建物について、配偶者居住権の設定の登記を申請する場合、その前提として相続又は遺贈を原因とする所有権の移転の登記を申請することを要する（同先例）。

○ **067**

配偶者居住権の設定の仮登記が可能であることは、他の権利の場合と同様であり（令2.3.30民二324号）、贈与者の生存中に死因贈与による配偶者居住権の設定の仮登記を申請することができる（登研872-33）。

× **068**

配偶者居住権の存続期間は必ず登記事項となるが（81の2①）、存続期間が定められた場合には、その延長や更新をすることはできず、その旨の登記を申請することはできない（令2.3.30民二324号）。他方、登記原因証明情報として、配偶者居住権を取得した配偶者が配偶者居住権の存続期間の一部を放棄した旨の情報を提供し、その存続期間の短縮を内容とする配偶者居住権の変更の登記の申請もすることができる（同先例）。

069 □□□ 令3-24-オ

配偶者居住権者の死亡によって配偶者居住権が消滅したときは、登記権利者は、単独で配偶者居住権の登記の抹消を申請することができる。

○ **069**

配偶者居住権が配偶者居住権者の死亡により消滅した場合、69条の規定により、登記権利者である居住建物の所有者は単独で配偶者居住権の登記の抹消を申請することができる（令2.3.30民二324号）。

⑤ 採石権に関する登記

070 □□□ 平18-16-オ

採石権の設定の登記を申請する場合、採石料、採石権の内容、採石料の支払時期の定めはすべて申請情報の内容となる。

○ **070**

採石権の設定の登記の申請情報の内容とする事項は、「存続期間」「採石権の内容又は採石料若しくはその支払時期の定め」である(不登令別表41項申、不登82)。

第8編
その他の登記

1 代位による登記

001 □□□ 平30-21-ア

甲土地の所有権の登記名義人であるAが死亡し、Aに配偶者B並びに子C及びDがいるときにおいて、甲土地について、抵当権者Eの代位によりAからB、C及びDへの相続を登記原因とする所有権の移転の登記がされたが、その前にB、C及びDの全員がAに係る相続の放棄をする旨の申述を受理する審判がされていた場合には、Eは、単独で、B、C及びDに代位して、当該所有権の移転の登記の抹消を申請することができる。

002 □□□ 平12-18-1

抵当権の実行による差押登記をする際に債務者の氏名又は名称及び住所が変更されていた場合、抵当権者は、債権者代位により変更の登記を申請することができる。

× **001**

債権者代位により、相続を登記原因とする所有権の移転の登記がされたが、登記名義人全員が相続の放棄をする旨の申述を受理する審判がされていた場合は、債権者が、代位により単独で所有権の移転の登記の抹消を申請することはできない（昭52.4.15民三2379号）。

× **002**

抵当権の債務者の氏名又は名称及び住所の変更登記は、登記名義人の氏名等の変更の登記（64）とは異なり、原則どおり共同申請（60）によるので、債権者代位によっても、抵当権者から単独で申請することはできない（昭36.8.30民三717号）。

❷ 仮処分による登記

003 □□□ 平17-20-エ

保全仮登記について、仮処分債権者と仮処分債務者は、保全仮登記の登記事項を本登記における登記事項とする更正の登記を共同で申請することができる。

004 □□□ 平27-18-オ

強制競売の開始決定に基づく差押えの登記がされている土地について当該差押えの登記に後れる賃借権の設定の登記がされている場合において、買受人が代金を納付したときは、裁判所書記官は、買受人への所有権の移転の登記及び当該差押えの登記の抹消のほか、当該賃借権の登記の抹消を嘱託しなければならない。

005 □□□ 平30-12-オ（昭59-24-5、平6-14-2）

土地の所有権の割合的な一部についての移転の登記請求権を保全する処分禁止の仮処分に基づき裁判所書記官が嘱託する、当該所有権の割合的な一部についての処分禁止の仮処分の登記は、登記をすることができない。

006 □□□ 平27-18-イ

所有権の登記のない建物について所有権の移転の仮登記を命ずる裁判所の処分に基づく仮登記が申請されたときは、登記官は、職権で所有権の保存の登記をしなければならない。

× **003**

保全仮登記の登記事項についての更正の登記は、仮処分債権者の申立てにより、仮処分命令を発した裁判所がその命令を更正し、更正決定が確定したときは、裁判所書記官が、保全仮登記の更正を嘱託するので、仮処分債権者及び仮処分債務者が保全仮登記の登記事項の更正の登記を共同で申請することはできない（平2.11.8民三5000号）。

○ **004**

裁判所書記官は、買受人が代金を納付したときは、①買受人の取得した権利の移転の登記、②売却により消滅した権利又は売却により効力を失った権利の取得もしくは仮処分に係る登記の抹消、③差押え又は仮差押えの登記の抹消の登記を嘱託しなければならない（民執82Ⅰ①～③）。

× **005**

不動産の所有権の一部についての処分禁止の仮処分の登記の嘱託はすることができる（昭30.4.20民甲695号）。なぜなら、所有権の一部（例えば2分の1）を買い受け、その所有権の一部移転の登記請求権を保全するために、所有権の一部（2分の1）に関する処分禁止の仮処分をする実益があるからである。

× **006**

所有権の登記のない不動産につき、所有権の処分の制限の登記の嘱託があったときは、その前提として、登記官が職権で所有権保存の登記をすることを要する（76Ⅱ）。これは、所有権の処分の制限の登記が嘱託された場合に限定されており、所有権の登記のない不動産について、所有権の移転の仮登記を命ずる裁判所の処分に基づく仮登記が申請されたとしても、登記官は所有権の保存の登記を職権ですることはできない（昭35.3.31民甲712号）。

007 □□□ 平26-24-イ

所有権の移転の登記請求権を保全するための処分禁止の仮処分の執行としての処分禁止の登記がされている甲土地につき、債権者及び債務者が甲土地についての所有権の移転の登記を共同して申請する場合には、申請と同時にするときに限り、債権者は、処分禁止の登記に後れる登記の抹消を単独で申請することができる。

008 □□□ 平29-23-3

Ａを所有権の登記名義人とする甲土地について、Ｂを仮処分の債権者とする所有権の処分禁止の登記がされた後、Ａ及びＢが甲土地について所有権の移転請求権の保全の仮登記を申請する場合には、Ｂは、当該処分禁止の登記に後れる登記の抹消を単独で申請することができる。

009 □□□ 平29-23-1

Ａを登記名義人とする根抵当権の設定の登記がされている甲土地について、Ｂを仮処分の債権者とする所有権の処分禁止の登記がされた後、当該根抵当権の債権の範囲の変更の登記がされた場合には、Ｂは、Ｂへの所有権の移転の登記の申請と同時に当該根抵当権の変更の登記の抹消を単独で申請することができる。

○ **007**

仮処分債権者は、保全すべき登記請求権に係る登記を申請するのと同時に、単独で、処分禁止の仮処分の登記に後れる登記の抹消を申請することができる（111Ⅰ）。そして、仮処分の債権者が仮処分の債務者を登記義務者としてする、保全すべき登記請求権に係る所有権の登記の申請は、判決による登記の申請に限らず、共同申請によるものであっても差し支えない（平2.11.8民三5000号）。

× **008**

A及びBが甲土地について申請する所有権の移転請求権の保全の登記は、111条1項に規定する「所有権の登記を申請する場合」には該当しない（111Ⅰ括弧書）ため、Bは、当該処分禁止の登記に後れる登記の抹消を単独で申請することはできない。

× **009**

所有権の処分禁止の仮処分の登記後に、処分禁止の仮処分前に設定の登記がされた根抵当権につき債権の範囲の変更の登記がされた場合、仮処分債権者が当該債権の範囲の変更の登記を単独で抹消することはできない（平9.1.29民三151号）。

010 □□□ 平29-23-2

Aを所有権の登記名義人とする甲土地について、Bを仮処分の債権者とする所有権の処分禁止の登記及びCを登記名義人とする所有権の移転の登記が順次された後、AからBへの所有権の持分の2分の1の移転の登記の手続を命ずる確定判決を得た場合には、Bは、当該持分の移転の登記の申請と同時にAからCへの所有権の移転の登記の抹消を単独で申請することができる。

011 □□□ 令2-22-ア

A及びBが共同で取得したものの、Aの単有名義で登記がされている甲建物について、当該登記をA及びBの共有名義とするために、Bを仮処分の債権者とする所有権の更正についての登記請求権を保全する処分禁止の仮処分の登記がされた後、Cを登記名義人とする抵当権の設定の登記がされた場合において、A及びBの共有名義とする所有権の更正の登記の申請をするときは、Bは同時に、当該仮処分の登記に後れるCの抵当権の抹消を単独で申請することができる。

012 □□□ 平26-24-ウ

所有権の移転の登記請求権を保全するための処分禁止の仮処分の執行としての処分禁止の登記がされている甲土地につき、債権者が債務者を登記義務者とする甲土地についての所有権の移転の登記を申請する場合において、処分禁止の登記に後れる登記の抹消を単独で申請するときは、その旨をあらかじめ当該登記の登記名義人に対して通知したことを証する情報を提供しなければならない。

× **010**

本肢の場合、Bは単独でCの持分を2分の1とする所有権の更正の登記を申請することができるが、AからCへの所有権の移転の登記の抹消を単独で申請することはできない（昭41.2.16民甲386号）。

× **011**

本肢の場合、Cの抵当権の登記については、処分禁止の仮処分に抵触する限度においてのみ抹消できるため、Bは、抵当権の更正の登記を申請することができるにすぎず、Cの抵当権の抹消を単独で申請することはできない。

○ **012**

111条1項に基づき、仮処分の債権者が単独でその処分禁止の仮処分の登記に後れる登記を抹消するには、あらかじめその登記の権利者に対しその旨を通知しなければならず（民保59Ⅰ）、当該通知をしたことを証する情報を提供することを要する（平2.11.8民三5000号、不登令別表71添）。

013 □□□ 令2-22-イ

Aが所有権の登記名義人である甲建物について、Bを仮処分の債権者とする所有権の移転の登記請求権を保全する処分禁止の仮処分の登記がされた後、Cを登記名義人とする所有権の移転の登記がされた場合において、AからBへの所有権の移転の登記と同時に申請することにより、Bが単独で当該仮処分の登記に後れるCのための登記の抹消を申請するときは、その旨をA及びCに対しあらかじめ通知したことを証する情報を提供しなければならない。

014 □□□ 平11-24-オ（平29-23-5）

処分禁止の仮処分の登記に後れる登記の抹消を債権者が単独で申請する場合、当該仮処分の登記の抹消をも申請しなければならない。

015 □□□ 平4-21-3（平21-16-1、令3-20-ウ）

処分制限の登記の嘱託により、職権でした所有権保存の登記については、その後、嘱託により錯誤を原因としてその処分制限の登記を抹消するときは、これを職権で抹消する。

016 □□□ 平16-14-ア

抵当権設定の登記請求権を保全するための処分禁止の仮処分の登記がされた場合には、仮処分債権者は、保全仮登記に基づいて本登記の申請をすることができるが、単独で当該処分禁止の登記に後れる登記を抹消することはできない。

× **013**

本肢の場合、Cに対しあらかじめ通知したことを証する情報は提供しなければならないが、Aに対しあらかじめ通知したことを証する情報を提供することは要しない（不登令7Ⅰ⑥、不登令別表71項添、民保59Ⅰ参照）。

× **014**

処分禁止の仮処分に後れる登記の抹消を債権者が単独で申請する場合（111Ⅰ）であっても、処分禁止の登記の抹消は、登記官の職権によりされる（111Ⅲ、平2.11.8民三5000号）。

× **015**

職権による所有権保存の登記は、処分の制限の登記が錯誤を原因として抹消されたとしても、これを職権で抹消することはできない（昭38.4.10民甲966号）。

○ **016**

所有権以外の権利の保存、設定又は変更についての登記請求権を保全するための処分禁止の仮処分の執行は、処分禁止の登記とともに、仮処分による仮登記(保全仮登記)をする方法により行う(民保53Ⅱ)。保全すべき権利が不動産の使用又は収益をするものでないときは、その登記上の順位が保全されれば足りることから、仮処分債権者が単独で当該処分禁止の登記に後れる登記を抹消することはできない（民保58Ⅳ）。

017 □□□　　平11-24-エ（平18-17-ウ）

地上権設定の保全仮登記に後れる不動産質権の設定登記がある場合、仮処分債権者は、当該保全仮登記に基づく本登記を申請するときであっても、当該不動産質権の設定登記の抹消を申請することはできない。

018 □□□　　平28-16-イ（平26-24-オ）

所有権について処分禁止の登記がされた後、当該処分禁止の登記に係る仮処分の債権者が、当該仮処分の債務者を登記義務者とする所有権の移転の登記と同時に、当該処分禁止の登記に後れる登記の抹消の登記を申請する場合には、当該抹消の登記の申請に際して登記原因証明情報の提供を要しない。

019 □□□　　平16-14-ウ

抵当権移転の登記請求権を保全するための処分禁止の仮処分の登記がされた場合には、仮処分債権者は、抵当権移転の登記と同時に申請することにより、単独で当該処分禁止の登記に後れる登記を抹消することができるが、当該処分禁止の登記に後れる登記の抹消の申請をしないときは、仮処分の登記が登記官の職権で抹消されることはない。

○ **017**

保全仮登記の後順位の質権の登記については、抹消の申請をすることはできない（平2.11.8民三5000号）。

○ **018**

仮処分の登記に遅れる登記の抹消を申請する場合、当該登記の権利者に対し、民事保全法59条１項に規定する通知をしたことを証する情報を提供しなければならないが、登記原因証明情報を提供する必要はない（不登令別表71項添参照）。

○ **019**

仮処分の債権者が処分禁止の登記に後れる登記（保全仮登記とともにされたものを除く。）を抹消した場合には、登記官にとって仮処分の効力が援用されたことが明らかであるから、当該仮処分の登記は職権により抹消される（111Ⅲ）。これに対して、仮処分の登記に後れる登記の抹消がされないときは、職権による仮処分の登記の抹消はされず、仮処分債権者により保全執行裁判所の裁判所書記官へ当該抹消の嘱託を申し立てることとなる（民保規48Ⅰ）。

020 □□□ 令6-25-イ（平26-24-エ）

Ａを所有権の登記名義人とする甲不動産について、Ｂを仮処分の債権者とする所有権の移転の登記請求権を保全する処分禁止の登記がされた後、Ｃを登記名義人とする抵当権の設定の登記がされた場合において、Ｂが、ＡからＢへの所有権の移転の登記の申請と同時に、単独で当該抵当権の設定の登記の抹消を申請しなかったときは、当該所有権の移転の登記の申請は却下される。

021 □□□ 平16-14-エ

地上権設定の登記請求権を保全するための処分禁止の仮処分の登記がされた場合には、仮処分債権者は、保全仮登記に基づく本登記と同時に申請することにより、単独で所有権以外の用益権に関する登記であって当該処分禁止の登記に後れるものを抹消することができるが、保全仮登記より後順位の地上権に設定された抵当権設定の登記を抹消することはできない。

022 □□□ 平26-24-ア（平16-14-オ）

債権者が債務者を登記義務者とする甲土地についての所有権の移転の登記を確定判決に基づき単独で申請する場合において、処分禁止の登記がされる前に設定の登記がされた抵当権が実行され、その差押えの登記が処分禁止の登記に後れてされているときは、当該差押えの登記の抹消を単独で申請することができる。

× **020**

処分禁止の登記に後れる登記であっても、仮処分の債務者を設定者とする抵当権の設定の登記については、その抹消の申請がなくても、所有権の移転の登記を申請することができる（平2.11.8民三5000号）。

× **021**

用益権の設定登記請求権を保全する場合も、処分禁止の仮処分の登記とともに保全仮登記をする方法による（民保53Ⅱ）が、担保物権の場合と異なり同一不動産上に相容れない用益権は成立しないので、処分禁止の登記に後れる用益権の登記は、保全仮登記の本登記に際し抵触する限度で抹消することができる（113、民保58Ⅳ）。この場合、抹消される後順位の用益権に設定された抵当権を抹消することも可能である（民保58Ⅳ、平2.11.8民三5000号）。

× **022**

本事例の差押えの登記は、仮処分の登記に優先することが登記記録上明らかであるため、処分禁止の仮処分の登記に後れる登記として、単独で、抹消することはできない（昭58.6.22民三3672号）。

023 □□□ 平27-18-エ（平8-25-ウ、平12-19-5）

地上権の設定の登記請求権を保全するための処分禁止の登記とともに保全仮登記がされている土地について当該保全仮登記に基づく本登記が申請された場合において、当該土地に当該処分禁止の登記に後れる賃借権の設定の登記がされているときは、登記官は、職権で当該賃借権の登記を抹消しなければならない。

024 □□□ 令2-22-エ

Ａが所有権の登記名義人である甲建物について、Ｂを仮処分の債権者とする所有権の移転の登記請求権を保全する処分禁止の仮処分の登記がされた後、Ｃを登記名義人とする所有権の移転の登記及びＤを登記名義人とする抵当権の設定の登記が順次された場合において、ＡからＢへの所有権の移転の登記と同時に、Ｂが単独で申請することができる当該仮処分の登記に後れるＣ及びＤのためにされた各登記の抹消は、一の申請情報により申請することができない。

025 □□□ 令2-22-オ

Ａが所有権の登記名義人である甲建物について、Ｂの建物収去土地明渡請求権を保全するため、所有権の処分禁止の仮処分の登記がされた後、Ｃを登記名義人とする所有権の移転の登記がされたときは、Ｂは、Ａに対して甲建物を収去し、土地の明渡しを命ずる旨の判決書の正本及び当該判決の確定証明書を提供し、単独で当該仮処分の登記に後れるＣのための登記の抹消を申請することはできない。

× **023**

本事例では、抹消を申請することになる（113、民保58Ⅳ）。登記官の職権で抹消されるのではない。

○ **024**

同一の不動産について申請する２以上の権利に関する登記の、登記の目的並びに登記原因及びその日付が同一であるときは、一の申請情報により申請することができる（不登規35⑨、不登令４但書）。したがって、本肢の場合、Ｃを登記名義人とする所有権の移転の登記及びＤを登記名義人とする抵当権の設定の登記の抹消を、一の申請情報により申請することはできない。

○ **025**

建物収去土地明渡請求権を保全するため、建物について所有権の処分禁止の仮処分の登記がされた場合、当該仮処分の債権者は、処分禁止の登記に後れる登記の抹消を申請することはできない（平2.11.8民三5000号）。

026 □□□　平30-23-ア

不動産の使用及び収益をしない旨の定めがない質権の設定の登記請求権を保全するための処分禁止の仮処分の執行としての処分禁止の登記及び保全仮登記がされている場合には、当該保全仮登記に係る仮処分の債権者は、当該保全仮登記に基づく本登記の申請と同時に、当該処分禁止の登記に後れる地上権の設定の登記の抹消を単独で申請することができる。

○ **026**

所有権以外の不動産の使用又は収益をする権利を保全するための保全仮登記に基づく本登記を申請するときは、これと同時に申請するときに限り、仮処分債権者が単独で、処分禁止の登記に後れる所有権以外の不動産の使用若しくは収益をする権利又はその権利を目的とする権利の取得に関する登記の抹消を申請することができる（113、民保58Ⅳ、平2.11.8民三5000号）。

③ 区分建物の登記

027 □□□ 平19-20-イ

敷地権付き区分建物の表題部所有者Aが死亡した場合において、その共同相続人であるB及びCの間で「区分建物はBが取得し、敷地権はCが取得する」旨の遺産分割協議がされたときは、B及びCは、当該遺産分割協議に基づいて、区分建物及び敷地権についてそれぞれ所有権の移転の登記を申請することができる。

028 □□□ 平15-19-ア

敷地権付き区分建物について、敷地権が生じた日の前の日を登記原因日付として、建物のみを目的とする所有権移転登記の申請をすることは可能で、かつ、建物のみに関する旨が付記される。

029 □□□ 平5-25-5（平9-19-イ、平9-19-カ、平24-19-1）

区分建物の登記記録の表題部の「敷地権の表示」欄中「原因及びその日付」欄に「平成18年7月8日敷地権」と記録されている場合において、敷地権である旨の登記のされた土地のみについて、平成18年7月12日に、平成18年7月2日売買を原因とする所有権移転仮登記の申請をすることができる。

030 □□□ 平9-19-エ

甲区分建物の登記記録の表題部の「敷地権の表示」欄中「原因及び日付」欄に「平成17年4月1日敷地権」と表示されているときに、敷地権が地上権である場合、敷地権の目的である乙土地のみについて平成17年7月1日売買を登記原因とする所有権移転の登記を申請することができる。

× **027**

共同相続人間の遺産分割（民907Ⅰ）は、当事者の意思表示による法律行為であるから、一体性の原則（区分所有22Ⅰ）が適用されるため、「区分建物はBが取得し、敷地権はCが取得する」旨の遺産分割協議に基づいて、区分建物及び敷地権についてそれぞれ所有権の移転の登記を申請することはできない。

× **028**

敷地権付き区分建物の登記記録には、建物のみを目的とする所有権の移転を登記原因とする所有権の登記はすることができない（73Ⅲ）。

○ **029**

敷地権となる前に登記原因が生じた敷地権に関する仮登記については、専有部分と敷地利用権との一体性の原則が適用される前の処分についての登記であるので、処分を制限するのは妥当ではなく、土地についてのみの仮登記を申請することができる（73Ⅱ但書）。

○ **030**

敷地権のみの処分は分離処分に該当するので許されない（区分所有22Ⅰ）。しかし、本肢の場合、敷地権は地上権であり、売買の目的たる所有権については、分離処分禁止の制限を一切受けていない。したがって、売買による所有権移転登記を申請することができる（73Ⅰ）。

031 □□□ 平24-19-3

区分建物の登記記録の表題部の「敷地権の表示」欄中の「原因及びその日付」欄に「平成24年6月15日敷地権」と記録されている場合について、区分建物のみの「平成24年6月1日相続」を登記原因とする所有権の移転の登記を申請することができない。

032 □□□ 平23-15-ウ

敷地権付き区分建物について、建物のみを目的とする所有権に関する登記を申請する場合には、申請情報として敷地権の表示を提供しなければならない。

033 □□□ 平19-20-エ（平22-20-ウ）

敷地権が賃借権である敷地権付き区分建物について、抵当権の設定の登記を申請するときは、当該賃借権の目的である土地の所在、地番、地目及び地積を申請情報として提供しなければならない。

034 □□□ 平23-15-イ（令3-23-エ）

敷地権である旨の登記がされている土地について、敷地権を目的とする一般の先取特権の保存の登記を申請することができる。

○ **031**

分離処分禁止の処分とは、いわゆる事実行為である処分ではなく、法律行為である処分をいうため、相続についてはこの処分に該当しない。しかし、建物につき敷地権の表示を登記した後に建物のみの所有権の移転の登記を申請するには、**敷地権の表示の登記を抹消する建物の表示の変更又は更正の登記を申請し、その登記がされた後に申請すべきである。**

× **032**

敷地権付き区分建物についての所有権に関する登記を申請する場合において、その登記の申請が建物のみについてするものであるときは（73Ⅲ但書に規定する場合）、申請情報として敷地権の表示を**提供することを要しない**（不登令３⑪へ括弧書、昭58.11.10民三6400号）。

× **033**

賃借権は、実体法上、抵当権の目的とはなり得ないので（民369参照）、敷地権が賃借権である敷地権付き区分建物について、抵当権の設定の登記を申請するときは、敷地権の表示は申請情報の内容とすることを要せず（不登令３⑪へ参照）、当該賃借権の目的である土地の所在、地番、地目及び地積を申請情報として**提供する必要はない。**

× **034**

一般の先取特権保存の登記は、その登記原因の発生時期にかかわらず、敷地権付き区分建物の敷地権のみについて申請することは**できない**（73Ⅱ）。

035 □□□　平7-23-オ（平18-25-エ）

区分建物に敷地権の登記がされている場合に、その区分建物のみを目的として、敷地権の登記をする前にされた抵当権設定契約を原因とする抵当権の設定の登記を申請することはできない。

036 □□□　平27-21-ア

敷地権である旨の登記がされた土地のみを目的とする不動産工事の先取特権の保存の登記の申請は、その登記原因の日付が当該敷地権が生じた日の前後いずれであるかを問わず、することができる。

037 □□□　平18-25-ウ

敷地権付き区分建物（登記記録の「敷地権の表示」欄には「平成18年4月1日敷地権」と記録されている）又は敷地権である旨の登記がされている土地について、平成18年5月1日を登記原因の日付として同日土地のみを目的としてする不動産工事の先取特権の保存の登記を申請することはできない。

038 □□□　平23-15-ア（平24-19-2）

区分建物に敷地権である旨の登記がされている場合に、敷地権が生じた日よりも前の日を登記原因の日とする質権の設定の登記は、建物のみを目的とするものであっても、その申請をすることができる。

× **035**

敷地権付き区分建物には、建物のみを目的とする担保権（一般の先取特権、質権、又は抵当権）に係る権利に関する登記をすることができない（73Ⅲ本文）。しかし、敷地権となる前に登記原因が生じたときは、当該区分建物のみを目的とする抵当権設定の登記をすることができる（73Ⅲ但書）。

○ **036**

不動産工事の先取特権保存の登記は、敷地権が生じた後であっても、区分建物のみ又は土地のみを目的として申請することができる（昭58.11.10民三6400号）。なぜなら、不動産工事の先取特権は、一定の要件のもと生ずる法定担保物権であり、不動産工事の先取特権が区分建物の所有権のみ又は土地の所有権のみを目的として発生したとしても、分離処分禁止の原則（区分所有22）に反しないからである。

× **037**

不動産工事の先取特権は、その権利の性質上、その工事をした不動産（土地又は建物）についてのみ法律上当然に発生するものである（民327Ⅰ）ので、敷地権の登記後に登記原因が生じた場合であっても、土地についてのみ登記をすることができる。

○ **038**

敷地権付き区分建物のみを目的とする質権設定の登記であっても、当該建物の敷地権が生じた日よりも前の日を登記原因の日とする場合は、その申請をすることができる（73Ⅲ但書）。

039 □□□　平15-19-イ（平22-20-ア）

敷地権付き区分建物について、敷地権が生じた日の前の日を登記原因日付として、建物のみを目的とする抵当権設定登記の申請をすることは可能で、かつ、建物のみに関する旨が付記される。

040 □□□　平22-20-イ

敷地権付き区分建物について区分建物のみを目的とする不動産工事の先取特権の保存の登記が申請されると、その登記に建物のみに関する旨の記録が付記される。

041 □□□　平22-20-エ

抵当権の設定の登記がされた土地を敷地として区分所有の建物が新築され、敷地権の登記がされた後に、敷地について設定された抵当権の被担保債権と同一の債権を担保するために区分建物のみを目的として設定された抵当権の登記が申請されると、その登記に建物のみに関する旨の記録が付記される。

042 □□□　平9-19-ウ（平18-25-オ）

甲区分建物の登記記録の表題部の「敷地権の表示」欄中「原因及び日付」欄に「平成17年4月1日敷地権」と表示されている場合、甲区分建物のみについて平成17年2月1日売買を登記原因とする所有権移転の登記を申請することができる。

043 □□□　平7-23-ア（平24-19-4）

区分建物に敷地権の登記がされている場合に、その区分建物のみを目的として、敷地権の登記をした後にされた賃貸借契約を原因とする賃借権の設定の登記を申請することはできない。

○ **039**

敷地権である旨の登記をした場合に、建物について、乙区に特別の先取特権、賃借権以外の権利に関する登記があるときは、その登記に建物のみに関する旨が付記される（不登規156）。

× **040**

区分建物についてされた特別の先取特権の登記は、その性質上、建物のみを目的としていることが明らかであるから（民327Ⅰ）、建物のみに関する旨の付記を要しない。

○ **041**

敷地について設定された抵当権の被担保債権と同一の債権を担保するために区分建物のみを目的として抵当権を設定した場合は、敷地について設定された抵当権の追加設定であり、その登記の目的等（登記の目的、申請の受付の年月日及び受付番号並びに登記原因及びその日付をいう。）は、既に登記されている抵当権の登記の目的等と同一になることはない。したがって、建物に関する旨の記録が付記される（不登規123Ⅰ但書）。

× **042**

所有権移転登記については、物権変動が生じた時点が敷地権の登記前か後かを問わず、専有部分のみを目的とする登記申請をすることができない（73Ⅲ）。

× **043**

区分建物のみを目的とする賃借権設定登記の申請は、敷地権の登記後に登記原因が生じた場合でも、することができる（昭58.11.10民三6400号）。

044 □□□　平15-19-ウ（平22-20-オ）

敷地権付き区分建物について、敷地権が生じた日の前の日を登記原因日付として、建物のみを目的とする賃借権設定登記の申請をすることは可能で、かつ、建物のみに関する旨が付記される。

045 □□□　平2-18-2（平11-27-イ、平19-20-ウ、平24-19-5）

敷地権付き区分建物の敷地権の目的である土地について、区分地上権設定の登記の申請は、することができる。

046 □□□　平2-18-4（平18-25-ア、平23-15-オ）

敷地権付き区分建物の敷地権の目的である土地のみを目的とする所有権移転の仮登記に基づく本登記の申請は、敷地権の登記及び敷地権である旨の登記を抹消した後にしなければならない。

047 □□□　平19-20-オ（平4-17-4、令5-21-ア）

敷地権付き区分建物についての処分禁止の仮処分の登記は、当該敷地権が生じた後に当該仮処分がされた場合には、当該区分建物のみ又は当該敷地権の目的である土地のみを目的とすることはできない。

048 □□□　平5-25-2（平10-13-イ、平18-25-イ）

根抵当権設定の登記のされた土地については、敷地権たる旨の登記がされた後であっても、債権の範囲の変更の登記の申請をすることができる。

× **044**

敷地権の表示を登記した建物のみについて賃借権設定の登記をすることができる（73Ⅲ参照）。この場合、建物を目的として賃借権が設定され、同時に敷地権を目的として賃借権が成立することはあり得ず、建物のみを目的とするものであるということが明らかであるから、建物のみに関する旨の付記はされない。

○ **045**

敷地権の目的である土地に区分地上権の設定をすることは、区分所有法22条1項の分離処分に該当せず、本肢のような登記を申請することができる（昭58.11.10民三6400号）。

○ **046**

敷地権の目的である土地のみを目的とする所有権移転の仮登記に基づく本登記をする場合、敷地権の登記がされたままでは、当該登記の申請は不可能である（73Ⅲ本文）。

× **047**

区分建物のみ又は敷地権の目的である土地のみについて処分禁止の仮処分がなされたとしても、一体性の原則（区分所有22Ⅰ）に反する分離処分とはならないので、その登記も申請することができる（昭58.11.10民三6400号）。

○ **048**

根抵当権の債権の範囲の変更は、あくまでも権利の内容の変更であり、分離処分には該当しない。したがって、敷地権である旨の登記がなされた後であっても、債権の範囲の変更登記の申請をすることができる。

049 □□□ 平11-14-オ

甲土地（規約敷地）について、その所有権につき敷地権である旨の登記がされる前に、担保不動産競売開始決定がされていたが、その後、敷地権である旨の登記がされた場合、その状態で差押えの登記の嘱託をすることができる。

○ **049**

土地が敷地権の目的となる前に設定契約のされた担保権は、専有部分又は敷地についての一方のみを目的とするものであっても有効であるので、その実行としての差押え及びその登記は、敷地権が生じた後であっても、専有部分又は敷地権のみを目的としてすることができる。

4 信託の登記

信託の登記

050 □□□ 平21-20-ア（平7-17-ア）

信託の登記の申請は、受託者が単独ですることができる。

051 □□□ 平23-21-イ

信託による抵当権の設定の登記は、受託者を抵当権者、委託者を設定者として、共同で申請しなければならないが、信託の登記は、抵当権者が単独で申請することができる。

052 □□□ 平7-17-オ（平元-19-1、平21-20-ウ、平24-15-ア）

信託財産たる金銭によって、第三者から買い受けた不動産について受託者が所有権の移転の登記を受けたときは、受益者は受託者に代位して単独で信託の登記を申請することができる。

053 □□□ 平27-27-ウ（平12-25-4）

権利能力のない社団である自治会Ａの構成員全員に総有的に帰属し、自治会Ａの代表者であるＢが個人名義で所有権の登記名義人となっている不動産について、自治会Ａを受益者とする信託がされた場合、自治会Ａを受益者として信託の登記を申請することができる。

○ **050**

信託の登記については、受託者が単独で申請することができる（98Ⅱ）。

○ **051**

信託による抵当権設定の登記は、受託者を抵当権者、委託者を設定者として、共同で申請しなければならないが（60）、信託の登記は、受託者が単独で申請することができる（98Ⅱ）。

○ **052**

受託者が所有権移転登記のみをし、信託登記をしないなどといったことが起こると、それが信託財産であることを第三者に対抗することができなくなってしまう。そこで、受益者又は委託者は、受託者に代位して信託登記を申請することが認められている（99）。

× **053**

法人格なき社団を受益者として信託の登記をすることはできない（昭59.3.2民三1131号）。

054 □□□ 平16-15-ア

受託者が信託財産によって買い入れた不動産につき信託の登記を申請する場合には、受託者は、信託目的により拘束を受け、形式的には不利益を受ける立場に立つが、受託者を登記権利者とし、委託者を登記義務者として、その申請をしなければならない。

055 □□□ 平16-15-イ

信託財産の原状回復による信託の登記は、受益者又は委託者が受託者に代位して申請することができ、この場合には、当該原状回復に係る所有権移転の登記の申請と同一の書面によらずに、信託の登記のみの申請をすることができる。

056 □□□ 平21-20-イ

自己信託の方法による信託がされた場合、当該信託による権利の変更の登記の申請は、受託者が単独ですることができる。

057 □□□ 平21-20-エ

受益者に受益者代理人があるときは、当該受益者の氏名又は名称及び住所に加え、受益者代理人の氏名又は名称及び住所を登記しなければならない。

058 □□□ 平29-26-エ

甲土地についてAを受益者、Bを信託管理人とする所有権の移転の登記及び信託の登記を申請する場合において、Bの氏名又は名称及び住所を登記したときは、Aの氏名又は名称及び住所を登記することを要しない。

× **054**

受託者が信託財産によって買い入れた不動産（信託16①）の所有権移転登記は、受託者を登記権利者、現所有権登記名義人を登記義務者として申請し、信託の登記については、受託者による単独申請が認められている（98Ⅱ）。

○ **055**

受益者又は委託者は、受託者に代位して信託の登記を申請することができる（99）。そして、信託財産の原状回復による信託の登記申請と所有権移転の登記申請とは、一の申請情報によりしなければならない旨の規定はない（不登令5参照）。

○ **056**

自己信託による権利の変更の登記の申請は、共同申請主義の例外として、受託者が単独で申請することができる（98Ⅲ、平19.9.28民二2048号）。

× **057**

受益者の氏名又は名称及び住所は、原則として信託の登記の登記事項である（97Ⅰ①）。しかし、受益者代理人の氏名又は名称及び住所を登記したときは、受益者の氏名又は名称及び住所を登記することを要しない（97Ⅱ・97Ⅰ④）。

○ **058**

信託管理人があるときは、その氏名又は名称及び住所が、信託の登記の登記事項であり（97Ⅰ③）、受益者の氏名又は名称及び住所を登記することを要しない（97Ⅱ）。

受託者の変更による登記

059 □□□ 平元-24-1（平14-25-オ）

信託の登記のある不動産につき、受託者の死亡によって相続が開始したときは、その相続人から相続登記を申請することができる。

060 □□□ 平12-25-2（平27-27-イ）

Ａ・Ｂ共有の不動産のＡの持分について、Ｃを受託者とする持分移転及び信託の登記がされた後に、Ｂが自己の持分を放棄した場合、関係者は、Ａへの持分移転の登記及びＣの信託の登記を申請することができる。

061 □□□ 平16-15-ウ

共同受託者の一人が任務を終了した場合には、残存する共同受託者を登記権利者とし、任務が終了した共同受託者を登記義務者として、信託財産についての所有権移転の登記を申請しなければならない。

062 □□□ 平30-25-エ

Ａを受託者とする所有権の移転の登記及び信託の登記がされている甲土地について、Ａが後見開始の審判を受けて受託者の任務が終了し、新たに受託者Ｂが選任された場合には、Ａの成年後見人とＢとが共同してＡからＢへの所有権の移転の登記を申請しなければならない。

× **059**

信託財産は、受託者の相続財産に帰属しないので（信託74Ｉ・56Ｉ①）、本肢のように、受託者の相続人から相続登記を申請することはできない。

× **060**

Ｂが放棄した持分は信託財産に属することになるので、Ｂ及びＣが共同して、「受託者Ｃ」へのＢの持分放棄による持分移転登記の申請と、受託者Ｃにおいてする信託の登記を一の申請情報によってしなければならない（昭33.4.11民甲765号参照）。

× **061**

受託者が二人以上の場合には、信託財産を合有する（信託79）。この共同受託者の一人が任務を終了した場合には、残存する共同受託者を登記権利者、任務が終了した共同受託者を登記義務者として信託財産についての権利の変更登記をすることとなる（60）。

× **062**

受託者の任務が死亡、後見開始若しくは保佐開始の審判、破産手続開始の決定、法人の合併以外の理由による解散又は裁判所若しくは主務官庁の解任命令により終了し、新たに受託者が選任された場合、旧受託者から新受託者への受託者の変更による権利の移転の登記は当該新受託者が単独で申請することができる（100Ｉ）。

063 □□□

平16-15-エ

裁判所が信託管理人を解任した場合には、受託者は、その変更を証する書面を添付して信託の変更の登記を申請しなければならない。

064 □□□

平20-15-イ

信託の受託者の任務が解任によって終了し、その後に新受託者が選任された場合における受託者の交替による所有権の移転の登記を申請する場合の登記原因日付は、前受託者の任務が終了した日である。

065 □□□

平23-21-エ（平27-27-オ）

受託者の辞任による所有権の移転の登記は、新受託者を権利者、前受託者を義務者として、共同で申請しなければならない。

信託の変更の登記

066 □□□

平7-17-ウ

信託の受益権の譲渡がされたことにより受益者が変更した場合には、受託者は信託の変更の登記の申請をしなければならない。

× **063**

裁判所書記官は、信託管理人の解任の裁判があったときは、職権で、遅滞なく、信託の変更の登記を登記所に嘱託しなければならない（102Ⅰ）。したがって、当事者がこの変更登記を申請する必要はない。

○ **064**

信託の受託者の任務が解任によって終了した場合、新受託者が就任したときは、新受託者は、前受託者の任務終了時に、その時に存する信託に関する権利義務を前受託者から承継したものとみなされる（信託75Ⅰ・56Ⅰ⑥）。したがって、所有権移転登記の原因日付は、前受託者の任務が終了した日である。

○ **065**

受託者の辞任による受託者の任務の終了は、新受託者を権利者、前受託者を義務者として、権利の移転の登記を共同して申請しなければならない（100Ⅰ参照）。

○ **066**

信託の登記において、受益者の氏名又は名称及び住所を登記している場合、受益権が譲渡されたことにより受益者を変更したときは、受託者は遅滞なく、信託の登記の変更の登記を申請しなければならない（103Ⅰ）。

067 □□□ 平23-21-ア（平14-25-ウ、平22-22-カ、平27-27-エ）

受益権を売買したことによる売買を登記原因とする受益者変更の登記は、新受益者を権利者、前受益者を義務者として、共同で申請することができる。

068 □□□ 平23-21-オ（平29-26-ウ）

委託者の地位を移転したことによる委託者変更の登記は、受託者を権利者、前委託者を義務者として、共同で申請することができる。

069 □□□ 平30-25-イ

Ａを受託者、Ｂを受益者とする所有権の移転の登記及び信託の登記がされている甲土地について、当該信託の登記の信託目録に記録された信託財産の管理方法に変更が生じた場合には、ＡとＢとが共同で信託の変更の登記を申請しなければならない。

信託登記の抹消の登記

070 □□□ 平16-15-オ

信託財産が受託者の固有財産となったことによる信託の登記の抹消を申請する場合には、信託財産が受託者の固有財産となった旨の登記の申請と同一の書面によって、その申請をしなければならない。

071 □□□ 平23-21-ウ

信託の終了による信託の登記の抹消は、受託者が単独で申請することができる。

× **067**

受益者に変更が生じた場合、信託の変更の登記を申請することになるが、申請人は受託者である（103Ⅰ・97Ⅰ）。

× **068**

委託者の地位は、受託者及び受益者の同意を得て（他に委託者が存する場合は他の委託者の同意も要する。）、又は信託行為に定めた方法に従い、第三者に移転することができる（信託146）。そして、委託者の地位を移転したことによる委託者の変更の登記は、受託者が単独で申請する（103Ⅰ・97）。

× **069**

信託財産の管理方法は、信託の登記の登記事項である（97Ⅰ⑨）。この点、97条1項各号に掲げる登記事項について変更があったときは、受託者は、遅滞なく、信託の変更の登記を申請しなければならない（103Ⅰ）。

○ **070**

信託財産を受託者の固有財産とした場合の所有権の変更の登記の申請と信託の登記の抹消登記の申請は、一の申請情報によってすることを要する（不登令5Ⅲ）。

○ **071**

信託の終了による信託の登記の抹消は、受託者が単独で申請することができる（104Ⅱ）。

❺ 抹消回復

072 □□□　平元-16-3（平22-21）

甲を抵当権者、乙を抵当権設定者とする設定の登記は抹消されたが、現在の所有権登記名義人が丙である場合において、その抵当権抹消の回復の登記を申請するときは、登記義務者は乙である。

073 □□□　平31-22-ア

賃借権の設定の登記の回復を申請するときには、当該賃借権の設定の登記の登記事項を申請情報の内容としなければならない。

074 □□□　平31-22-イ

地上権の変更の登記により抹消された地代の定めの回復の登記は、付記登記によってされる。

075 □□□　平31-22-ウ

解除を登記原因として抹消された根抵当権の設定の登記の回復を申請する場合には、当該根抵当権の設定の登記の抹消がされる前から設定の登記がされている後順位抵当権があるときであっても、当該後順位抵当権の登記名義人の承諾を証する情報又は当該後順位抵当権の登記名義人に対抗することができる裁判があったことを証する情報を提供することを要しない。

076 □□□　平31-22-エ

所有権を目的とする地上権の設定の登記の回復を申請する場合において、登記権利者と登記義務者とが共同して申請するときは、登記義務者の印鑑に関する証明書を提供することを要しない。

× **072**

抹消された抵当権設定登記の回復登記の申請における登記義務者は、当該抵当権の目的である不動産の現在の所有権登記名義人である（昭57.5.7民三3291号）。したがって、本肢の場合、登記義務者となるのは乙ではなく丙である。

○ **073**

抹消された登記の回復を申請する場合、回復する登記の登記事項を申請情報の内容としなければならない（不登令3⑬、不登令別表27項申）。

○ **074**

登記事項の一部が抹消されている場合においてする抹消された登記の回復の登記は、付記登記によってされる（不登規3③）。

× **075**

先順位抵当権の抹消回復登記を申請する場合、抹消当時に設定されている後順位抵当権の登記名義人は、登記上の利害関係を有する第三者となる（昭52.6.16民三2932号）。

× **076**

所有権の登記名義人であって、当該登記名義人が登記義務者となる権利に関する登記を申請する場合、申請情報を記載した書面にその登記義務者の印鑑に関する証明書を提供することを要する（不登令16Ⅱ、不登規48Ⅰ⑤・47③イ(1)）。

077 □□□ 平31-22-オ

所有権の登記を回復する登記の登録免許税は、不動産1個につき1,000円である。なお、登記官の職権による登記の回復については考慮しないものとし、また、租税特別措置法等の特例法による税の減免規定の適用はないものとする。

○ **077**

抹消された登記の回復の登記を申請する場合の登録免許税の額は、不動産の個数１個につき、1,000円である（登録税別表1.1.（14））。

❻ 質権・先取特権に関する登記

078 □□□ 平30-23-イ

登記原因証明情報である質権設定契約書に被担保債権につきその債務不履行があった場合の違約金についての定めがあるときは、当該定めを質権の設定の登記の申請情報の内容として登記の申請をすることができる。

079 □□□ 平30-23-エ

Aを所有権の登記名義人とする土地について、質物の保存の費用及び質物の隠れた瑕疵によって生じた損害の賠償を担保しない旨の定めがある、Bを登記名義人とする質権の設定の登記がされている場合において、当該定めの廃止に係る質権の変更の登記を申請するときは、当該申請は、Aを登記権利者、Bを登記義務者としてしなければならない。

080 □□□ 平8-21-ウ

登記されている建物を目的としてするその建物の新築に係る不動産工事の先取特権の保存の登記の申請をすることができる。

○ **078**

質権の設定の登記において、違約金の定めがあるときは、その定めを申請情報の内容として登記の申請をすることができる（不登令別表46項申ロ、不登95Ⅰ③）。

× **079**

質物の保存の費用及び質物の隠れた瑕疵によって生じた損害の賠償を担保しない旨の定めの廃止による質権の変更の登記をするにあたり、登記記録上直接に利益を受ける者は、質権者であり、登記記録上直接に不利益を受ける登記名義人は、所有権の登記名義人である。したがって、Bが登記権利者、Aが登記義務者となる。

× **080**

不動産工事の先取特権（民327）は、工事を始める前にその費用予算額を登記することによってその効力を保存する（民338Ⅰ）。建物は所有権取得の日から1か月以内に表題登記をしなければならない（47Ⅰ）から、建物の登記がされているということは工事の後のはずであり、もはや不動産工事の先取特権を登記することはできない。たとえ登記がされても効力を有しない（大判大6.2.9参照）。

7 工場財団に関する登記

081 □□□ 平4-27-3（平8-13-イ、平26-27-オ）

工場財団に属する土地又は建物についての賃借権設定登記の申請は、申請書に財団の抵当権者全員の同意を証する書面を添付しても、することができない。

082 □□□ 平26-27-エ（平30-12-ウ）

工場財団の所有権の登記名義人が当該工場財団について賃貸借契約を締結した場合には、当該工場財団の抵当権者の同意があっても、当該工場財団について賃借権の設定の登記を申請することはできない。

083 □□□ 平26-27-ア

工場に属する土地ではない甲土地について抵当権の設定の登記がされている場合において、その後、甲土地が工場に属する土地となったときであっても、当該抵当権を工場抵当法第２条による抵当権に変更する旨の抵当権の変更の登記を申請することはできない。

084 □□□ 平26-27-イ

甲土地について工場抵当法第２条による抵当権の設定の登記がされている場合において、その後、新たに機械を甲土地に備え付けたときは、当該抵当権の登記名義人及び甲土地の所有権の登記名義人は、当該抵当権の変更の登記を共同して申請しなければならない。

× **081**

工場財団に属する土地、建物については、工場財団に設定されている抵当権者全員の同意を得れば賃貸することができ（工抵13Ⅱ但書）、その賃借権設定の登記を申請することができる。

○ **082**

抵当権者の同意を得れば、実体上、工場財団そのものを賃借権の目的とすることができるが、工場財団登記簿に、その旨の登記をすることはできない（昭28.3.31民甲535号）。

× **083**

抵当権を工場抵当法２条による抵当権に変更する旨の抵当権変更の登記を申請することができる。

× **084**

工場抵当法２条による抵当権の設定の登記をした後、新たに備え付けた機械等に、抵当権の効力が及んでいることを第三者に対抗するためには、当該登記をした抵当権についての工場抵当法３条の規定による目録（機械器具目録）について、その備え付けによる記載の変更の登記を申請することを要する。そして、当該工場財団目録の記載の変更の登記は、所有者の単独申請による（工抵3Ⅳ・38）。

085 □□□　平31-27-ア

工場抵当法第３条第２項の目録（以下「機械器具目録」という。）又は工場財団目録の記録の変更の登記に関して、工場抵当の目的となっている建物に工場の所有者が所有する機械を新たに備え付け、当該機械に工場抵当の効力が及んだことにより、機械器具目録の記録の変更の登記を申請するときは、変更後の表示を機械器具目録に記録するための情報を提供しなければならない。

086 □□□　平31-27-イ

工場抵当法第３条第２項の目録（以下「機械器具目録」という。）又は工場財団目録の記録の変更の登記に関して、機械器具目録に記録された機械の一部が滅失したことにより、機械器具目録の記録の変更の登記を申請するときは、抵当権者の同意を証する情報又はこれに代わるべき裁判があったことを証する情報を提供しなければならない。

087 □□□　平31-27-ウ

工場抵当法第３条第２項の目録（以下「機械器具目録」という。）又は工場財団目録の記録の変更の登記に関して、機械器具目録に記録された機械、器具等を全て廃止したときは、機械器具目録の記録の変更の登記を申請しなければならない。

○ **085**

工場抵当の目的となっている建物に工場の所有者が所有する機械、器具その他工場の用に供する物を新たに備え付けたときは、その物に抵当権の効力が及ぶため、その物を機械器具目録に記録するために、目録の記録の変更の登記を申請しなければならない(工場抵当3Ⅳ・38Ⅰ)。そして、当該変更の登記を申請するときは、変更後の表示を機械器具目録に記録するための情報を提供しなければならない(工場抵当3Ⅳ・39)。

○ **086**

機械器具目録の記録の変更の登記を申請するときは、抵当権者の同意を証する情報又はこれに代わるべき裁判があったことを証する情報を提供しなければならない(工場抵当3Ⅳ・38Ⅱ)。

× **087**

機械器具目録に記録された機械、器具等を全て廃止したときは、工場抵当権の登記において、機械器具目録の記録を抹消する抵当権の変更の登記を申請することを要する(昭35.5.16民甲1172号)。

《主要参考文献一覧》

＊「ジュリスト」（有斐閣）
＊「重要判例解説」（有斐閣）
＊「登記研究」（テイハン）
＊「不動産登記記録例集（平成28年6月8日法務省民二第386号民事局長通達）」（テイハン）
＊遠藤浩＝青山正明編「基本法コンメンタール不動産登記法〔第4版補訂版〕」（日本評論社）
＊幾代通＝浦野雄幸編「判例先例コンメンタール新編不動産登記法1～5」（三省堂）
＊幾代通＝宮脇幸彦＝貞家克巳編「不動産登記先例百選〔第2版〕」（有斐閣）
＊登記制度研究会不動産部会編「不動産登記先例判例要旨集1･2」（新日本法規）
＊青山正明著「改正区分所有関係法の解説」（きんざい）
＊青山正明編「民事訴訟法と不動産登記一問一答〔新訂〕」（テイハン）
＊林良平＝青山正明編「注解不動産法6・不動産登記法〔補訂版〕」（青林書院）
＊青山修著「根抵当権の法律と登記〔三訂版〕」（新日本法規）
＊青山修著「改訂登記名義人の住所氏名変更・更正登記の手引」（新日本法規）
＊青山修著「共有に関する登記の実務」（新日本法規）
＊青山修著「補訂新版不動産登記申請MEMO権利登記編」（新日本法規）
＊新井克美著「一問一答不動産登記添付書面」（日本加除出版）
＊幾代通＝徳本伸一補訂「不動産登記法〔第4版〕」（有斐閣）
＊香川保一編「全訂不動産登記書式精義上・中・下」（テイハン）
＊鎌田薫＝日本司法書士会連合会監修「新不動産登記法の解説と申請様式」（商事法務）
＊河合芳光著「逐条不動産登記令」（きんざい）
＊神崎満治郎著「改訂判決による登記の実務と理論」（テイハン）
＊新井克美著「判決による不動産登記の理論と実務」（テイハン）
＊司法書士登記実務研究会編「不動産登記の実務と書式〔第3版〕」（民事法研究会）
＊清水響著「一問一答新不動産登記法」（商事法務）
＊清水響著「Q＆A不動産登記法」（商事法務）
＊清水湛編「登録免許税法詳解」（きんざい）
＊鈴木禄弥著「根抵当権概説」（新日本法規）
＊寺本昌広著「逐条解説新しい信託法〔補訂版〕」（商事法務）
＊登記研究編集室編「不動産登記先例解説総覧（増補）」（テイハン）
＊登記申請実務研究会編「事例式不動産登記申請マニュアル」（新日本法規）

＊日本法令不動産登記研究会編「不動産登記のＱ＆Ａ 210 選〔8 訂版〕」（日本法令）
＊根抵当権登記実務研究会編「新訂ケースブック根抵当権の実務」（ちくさ出版）
＊枇杷田泰助監修「根抵当登記実務一問一答」（きんざい）
＊五十嵐徹著「マンション登記法登記・規約・公正証書〔第５版〕」（日本加除出版）
＊藤原勇喜著「新訂相続・遺贈の登記」（テイハン）
＊藤原勇喜著「登記原因証書の理論と実務」（きんざい）
＊藤原勇喜著「不動産登記の実務上の諸問題」（テイハン）
＊不動産登記法実務研究会編「問答式不動産登記の実務」（新日本法規）
＊法務省民事局参事官室編「一問一答新しい借地借家法〔新訂版〕」（社団法人商事法務研究会）
＊法務省民事局第三課職員編「区分所有登記実務一問一答」（きんざい）
＊法務省民事局第三・四課職員編「登記関係先例要旨総覧」（テイハン）
＊法務省民事局内法務研究会編「新訂不動産登記実務総覧〔第４版〕」（きんざい）
＊登記制度研究会編集「不動産登記総覧 <1> ～ <4>」（新日本法規）
＊法務省民事局内法務研究会編「例解新根抵当登記の実務〔増補版〕」（社団法人商事法務研究会）
＊堀内仁 = 鈴木正和 = 石井真司編「根抵当実務全書」（きんざい）
＊松尾英夫著「改正区分建物登記詳述」（テイハン）
＊吉野衛著「不動産登記講座Ⅰ～Ⅳ」（日本評論社）
＊吉野衛著「注釈不動産登記法総論上・下〔新版〕」（金融財政）
＊村瀬鎮一編著「新不動産登記先例・実例総覧」（民事法研究会）
＊石井眞司・佐久間弘道著「新金融実務手引シリーズ根抵当実務」（きんざい）
＊後藤浩平編著「〔新版〕不動産登記添付情報全集」（新日本法規）
＊鎌田薫・寺田逸郎編「新基本法コンメンタール不動産登記法」（日本評論社）
＊不動産登記法実務研究会編「権利に関する登記の実務Ⅰ～Ⅷ」（日本加除出版）
＊七戸克彦著「条解不動産登記法」（弘文堂）
＊小宮山秀史著「逐条解説不動産登記規則１」（テイハン）
＊青山修著「用益権の登記実務」（新日本法規）
＊新井克美 = 後藤浩平著「精解説例不動産登記添付情報上・下」（日本加除出版）
＊青山修著「第三者の許可・同意・承諾と登記実務」（新日本法規）
＊木村三男 = 藤谷定勝著「改訂仮登記の理論と実務」（日本加除出版）
＊青山修著「補訂版仮登記の実務」（新日本法規）
＊信託登記実務研究会編「信託登記の実務〔第三版〕」（日本加除出版）
＊清水湛監修 = 藤谷定勝編著「Ｑ＆Ａ登録免許税の実務〔第２版〕」（日本加除出版）
＊幸良秋夫著「設問解説判決による登記〔新訂〕」（日本加除出版）

令和7年版 司法書士 合格ゾーン ポケット判 択一過去問肢集
4 不動産登記法Ⅱ

2021年12月10日 第1版 第1刷発行
2024年9月25日 第4版 第1刷発行
編著者●株式会社 東京リーガルマインド
LEC総合研究所 司法書士試験部

発行所●株式会社 東京リーガルマインド
〒164-0001 東京都中野区中野4-11-10
アーバンネット中野ビル
LECコールセンター 0570-064-464
受付時間 平日9：30～19：30/土・日・祝10：00～18：00
※このナビダイヤルは通話料お客様ご負担となります。
書店様専用受注センター TEL 048-999-7581 / FAX 048-999-7591
受付時間 平日9：00～17：00/土・日・祝休み
www.lec-jp.com/

印刷・製本●情報印刷株式会社

 ISBN978-4-8449-6319-6

司法書士講座のご案内

新15ヵ月合格コース

短期合格のノウハウが詰まったカリキュラム

LECが初めて司法書士試験の学習を始める方に自信をもってお勧めする講座が新15ヵ月合格コースです。司法書士受験指導40年以上の積み重ねたノウハウと、試験傾向の徹底的な分析により、これだけ受講すれば合格できるカリキュラムとなっております。司法書士試験対策は、毎年一発・短期合格を輩出してきたLECにお任せください。

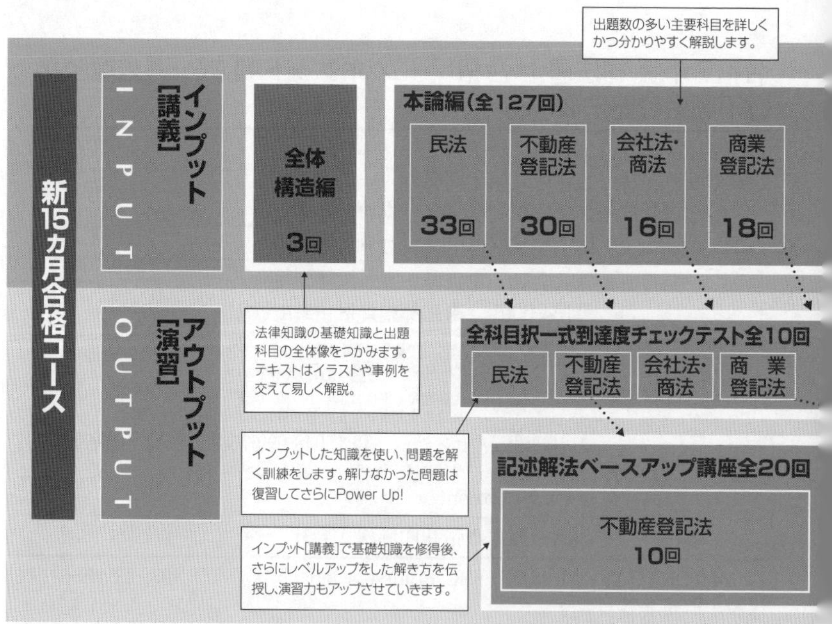

インプットとアウトプットのリンクにより短期合格を可能に！

合格に必要な力は、適切な情報収集（インプット）→知識定着（復習）→実践による知識の確立（アウトプット）という３つの段階を経て身に付くものです。新15ヵ月合格コースではインプット講座に対応したアウトプットを提供し、これにより短期合格が確実なものとなります。

司法書士講座のご案内

スマホで司法書士　S式合格講座

スキマ時間を有効活用！1回15分で続けやすい講座

講義の視聴が**スマホ完結！**
1回15分のユニット制だから**スキマ時間**にいつでもどこでも**手軽に学習可能**です。忙しい方でも続けやすいカリキュラムとなっています。
本講座は、LECが40年以上の司法書士受験指導の中で積み重ねた学習方法、短期合格を果たすためのノウハウを凝縮し、本試験で必ず出題されると言ってもいい重要なポイントに絞って講義をしていきます。

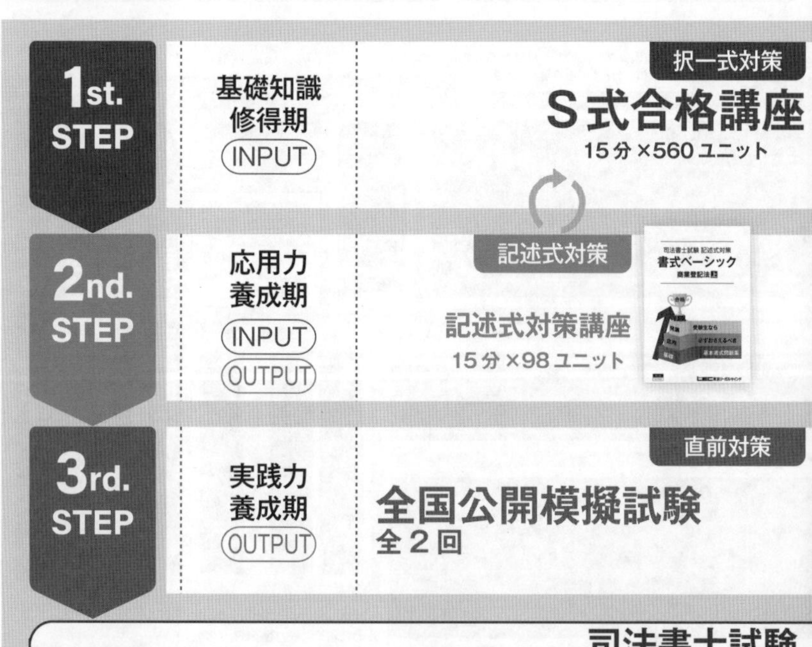

※過去問対策、問題演習対策を独学で行うのが不安な方には、それらの対策ができる講座・コースもご用意しています。

OUTPUT 合格ゾーンシリーズ

合格ゾーン過去問題集

択一式：全10巻
記述式：全2巻

直近の本試験問題を含む過去の司法書士試験問題を体系別に収録した、LEC定番の過去問題集

合格ゾーン過去問題集

単年度版

本試験の傾向と対策を年度別に徹底解説。受験者動向を分析した各種データも掲載

合格ゾーンポケット判 択一過去問肢集

全8巻

厳選された過去問の肢を体系別に分類。持ち運びに便利なB6判過去問肢集

合格ゾーン 当たる！直前予想模試

問題・答案用紙ともに取り外しができるLECの予想模試をついに書籍化
LEC門外不出の問題ストックから、予想問題を厳選

※本内容は2024年8月1日現在のものであり、変更になる場合があります。予めご了承ください。

書籍訂正情報のご案内

平素は、LECの講座・書籍をご利用いただき、ありがとうございます。

LECでは、司法書士受験生の皆様に正確な情報をご提供するため、書籍の制作に際しては、慎重なチェックを重ね誤りのないものを制作するよう努めております。しかし、法改正や本試験の出題傾向などの最新情報を、一刻も早く受験生に提供することが求められる受験教材の性格上、残念ながら現時点では、一部の書籍について、若干の誤りや誤字などが生じております。

ご利用の皆様には、ご迷惑をお掛けしますことを深くお詫び申し上げます。

書籍発行後に判明いたしました訂正情報については、以下のウェブサイトの「書籍　訂正情報」に順次掲載させていただきます。

書籍に関する訂正情報につきましては、お手数ですが、こちらにてご確認いただければと存じます。

書籍訂正情報 ウェブサイト

https://www.lec-jp.com/shoshi/book/emend.shtml

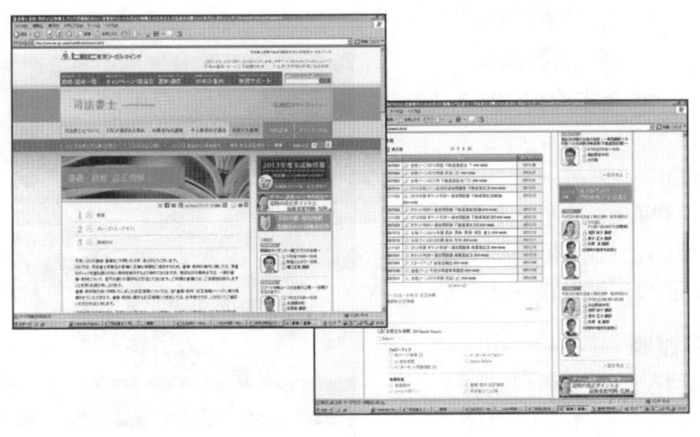

スマートフォン・タブレットから簡単アクセス！ ▷▷▷

自慢の メールマガジン 配信中！（登録無料）

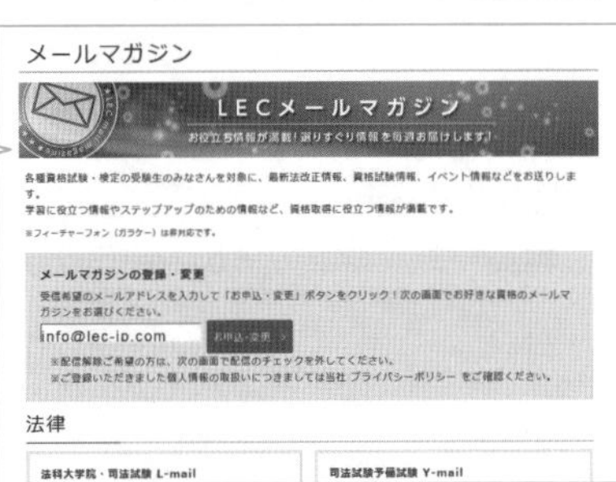

LEC講師陣が毎週配信！　最新情報やワンポイントアドバイス，改正ポイントなど合格に必要な知識をメールにて毎週配信。

www.lec-jp.com/mailmaga/

LEC オンラインショップ

充実のラインナップ！　LECの書籍・問題集や講座などのご注文がいつでも可能です。また、割引クーポンや各種お支払い方法をご用意しております。

online.lec-jp.com/

LEC 電子書籍シリーズ

LECの書籍が電子書籍に！　お使いのスマートフォンやタブレットで，いつでもどこでも学習できます。

※動作環境・機能につきましては，各電子書籍ストアにてご確認ください。

www.lec-jp.com/ebook/

LEC書籍・問題集・レジュメの紹介サイト **LEC書籍部** **www.lec-jp.com/system/book/**

- LECが出版している書籍・問題集・レジュメをご紹介
- 当サイトから書籍などの直接購入が可能(*)
- 書籍の内容を確認できる「チラ読み」サービス
- 発行後に判明した誤字等の訂正情報を公開

＊商品をご購入いただく際は，事前に会員登録(無料)が必要です。
＊購入金額の合計・発送する地域によって，別途送料がかかる場合がございます。

※資格試験によっては実施していないサービスがありますので，ご了承ください。

LEC全国学校案内

＊講座のお問合せ，受講相談は最寄りのLEC各校へ

LEC本校

北海道・東北

札　幌本校　☎011(210)5002
〒060-0004 北海道札幌市中央区北4条西5-1　アスティ45ビル

仙　台本校　☎022(380)7001
〒980-0022 宮城県仙台市青葉区五橋1-1-10　第二河北ビル

関東

渋谷駅前本校　☎03(3464)5001
〒150-0043 東京都渋谷区道玄坂2-6-17　渋東シネタワー

池　袋本校　☎03(3984)5001
〒171-0022 東京都豊島区南池袋1-25-11　第15野萩ビル

水道橋本校　☎03(3265)5001
〒101-0061 東京都千代田区神田三崎町2-2-15　Daiwa三崎町ビル

新宿エルタワー本校　☎03(5325)6001
〒163-1518 東京都新宿区西新宿1-6-1　新宿エルタワー

早稲田本校　☎03(5155)5501
〒162-0045 東京都新宿区馬場下町62　三朝庵ビル

中　野本校　☎03(5913)6005
〒164-0001 東京都中野区中野4-11-10　アーバンネット中野ビル

立　川本校　☎042(524)5001
〒190-0012 東京都立川市曙町1-14-13　立川MKビル

町　田本校　☎042(709)0581
〒194-0013 東京都町田市原町田4-5-8　MIキューブ町田イースト

横　浜本校　☎045(311)5001
〒220-0004 神奈川県横浜市西区北幸2-4-3　北幸GM21ビル

千　葉本校　☎043(222)5009
〒260-0015 千葉県千葉市中央区富士見2-3-1　塚本大千葉ビル

大　宮本校　☎048(740)5501
〒330-0802 埼玉県さいたま市大宮区宮町1-24　大宮GSビル

東海

名古屋駅前本校　☎052(586)5001
〒450-0002 愛知県名古屋市中村区名駅4-6-23　第三堀内ビル

静　岡本校　☎054(255)5001
〒420-0857 静岡県静岡市葵区御幸町3-21　ペガサート

北陸

富　山本校　☎076(443)5810
〒930-0002 富山県富山市新富町2-4-25　カーニープレイス富山

関西

梅田駅前本校　☎06(6374)5001
〒530-0013 大阪府大阪市北区茶屋町1-27　ABC-MART梅田ビル

難波駅前本校　☎06(6646)6911
〒556－0017 大阪府大阪市浪速区湊町1-4-1
大阪シティエアターミナルビル

京都駅前本校　☎075(353)9531
〒600-8216 京都府京都市下京区東洞院通七条下ル2丁目
東塩小路町680-2　木村食品ビル

四条烏丸本校　☎075(353)2531
〒600-8413　京都府京都市下京区烏丸通仏光寺下ル
大政所町680-1　第八長谷ビル

神　戸本校　☎078(325)0511
〒650-0021 兵庫県神戸市中央区三宮町1-1-2　三宮セントラルビル

中国・四国

岡　山本校　☎086(227)5001
〒700-0901 岡山県岡山市北区本町10-22　本町ビル

広　島本校　☎082(511)7001
〒730-0011 広島県広島市中区基町11-13　合人社広島紙屋町アネクス

山　口本校　☎083(921)8911
〒753-0814 山口県山口市吉敷下東 3-4-7　リアライズⅢ

高　松本校　☎087(851)3411
〒760-0023 香川県高松市寿町2-4-20　高松センタービル

松　山本校　☎089(961)1333
〒790-0003 愛媛県松山市三番町7-13-13　ミツネビルディング

九州・沖縄

福　岡本校　☎092(715)5001
〒810-0001 福岡県福岡市中央区天神4-4-11　天神ショッパーズ福岡

那　覇本校　☎098(867)5001
〒902-0067 沖縄県那覇市安里2-9-10　丸姫産業第2ビル

EYE関西

EYE 大阪本校　☎06(7222)3655
〒530-0013　大阪府大阪市北区茶屋町1-27　ABC-MART梅田ビル

EYE 京都本校　☎075(353)2531
〒600-8413　京都府京都市下京区烏丸通仏光寺下ル
大政所町680-1　第八長谷ビル

LEC提携校

＊提携校はLECとは別の経営母体が運営をしております。
＊提携校は実施講座およびサービスにおいてLECと異なる部分がございます。

北海道・東北

八戸中央校【提携校】 ☎0178(47)5011
〒031-0035　青森県八戸市寺横町13　第1朋友ビル　新教育センター内

弘前校【提携校】 ☎0172(55)8831
〒036-8093　青森県弘前市城東中央1-5-2
まなびの森　弘前城東予備校内

秋田校【提携校】 ☎018(863)9341
〒010-0964　秋田県秋田市八橋鯲沼町1-60
株式会社アキタシステムマネジメント内

関東

水戸校【提携校】 ☎029(297)6611
〒310-0912　茨城県水戸市見川2-3079-5

所沢校【提携校】 ☎050(6865)6996
〒359-0037　埼玉県所沢市くすのき台3-18-4　所沢K・Sビル
合同会社LPエデュケーション内

日本橋校【提携校】 ☎03(6661)1188
〒103-0025　東京都中央区日本橋茅場町2-5-6　日本橋大江戸ビル
株式会社大江戸コンサルタント内

東海

沼津校【提携校】 ☎055(928)4621
〒410-0048　静岡県沼津市新宿町3-15　萩原ビル
M-netパソコンスクール沼津校内

北陸

新潟校【提携校】 ☎025(240)7781
〒950-0901　新潟県新潟市中央区弁天3-2-20　弁天501ビル
株式会社大江戸コンサルタント内

金沢校【提携校】 ☎076(237)3925
〒920-8217　石川県金沢市近岡町845-1　株式会社アイ・アイ・ピー金沢内

福井南校【提携校】 ☎0776(35)8230
〒918-8114　福井県福井市羽水2-701　株式会社ヒューマン・デザイン内

関西

和歌山駅前校【提携校】 ☎073(402)2888
〒640-8342　和歌山県和歌山市友田町2-145
KEG教育センタービル　株式会社KEGキャリア・アカデミー内

中国・四国

松江殿町校【提携校】 ☎0852(31)1661
〒690-0887　島根県松江市殿町517　アルファステイツ殿町
山路イングリッシュスクール内

岩国駅前校【提携校】 ☎0827(23)7424
〒740-0018　山口県岩国市麻里布町1-3-3　岡村ビル　英光学院内

新居浜駅前校【提携校】 ☎0897(32)5356
〒792-0812　愛媛県新居浜市坂井町2-3-8　パルティフジ新居浜駅前店内

九州・沖縄

佐世保駅前校【提携校】 ☎0956(22)8623
〒857-0862　長崎県佐世保市白南風町5-15　智翔館内

日野校【提携校】 ☎0956(48)2239
〒858-0925　長崎県佐世保市椎木町336-1　智翔館日野校内

長崎駅前校【提携校】 ☎095(895)5917
〒850-0057 長崎県長崎市大黒町10-10　KoKoRoビル
minatoコワーキングスペース内

高原校【提携校】 ☎098(989)8009
〒904-2163　沖縄県沖縄市大里2-24-1
有限会社スキップヒューマンワーク内

※上記は2024年8月1日現在のものです。

書籍の訂正情報について

このたびは，弊社発行書籍をご購入いただき，誠にありがとうございます。
万が一誤りの箇所がございましたら，以下の方法にてご確認ください。

1 訂正情報の確認方法

書籍発行後に判明した訂正情報を順次掲載しております。
下記Webサイトよりご確認ください。

www.lec-jp.com/system/correct/

2 ご連絡方法

上記Webサイトに訂正情報の掲載がない場合は，下記Webサイトの入力フォームよりご連絡ください。

フォームのご入力にあたりましては，「Web教材・サービスのご利用について」の最下部の「ご質問内容」に下記事項をご記載ください。

- ・対象書籍名（○○年版，第○版の記載がある書籍は併せてご記載ください）
- ・ご指摘箇所（具体的にページ数と内容の記載をお願いいたします）

ご連絡期限は，次の改訂版の発行日までとさせていただきます。
また，改訂版を発行しない書籍は，販売終了日までとさせていただきます。

※上記「2ご連絡方法」のフォームをご利用になれない場合は，①書籍名，②発行年月日，③ご指摘箇所，を記載の上，郵送にて下記送付先にご送付ください。確認した上で，内容理解の妨げとなる誤りについては，訂正情報として掲載させていただきます。なお，郵送でご連絡いただいた場合は個別に返信しておりません。

送付先：〒164-0001 東京都中野区中野4-11-10 アーバンネット中野ビル
株式会社東京リーガルマインド 出版部 訂正情報係

- ・誤りの箇所のご連絡以外の書籍の内容に関する質問は受け付けておりません。
また，書籍の内容に関する解説，受験指導等は一切行っておりませんので，あらかじめご了承ください。
- ・お電話でのお問合せは受け付けておりません。

講座・資料のお問合せ・お申込み

LECコールセンター 携帯OK 0570-064-464

受付時間：平日9:30〜19:30/土・日・祝10:00〜18:00

※このナビダイヤルの通話料はお客様のご負担となります。
※このナビダイヤルは講座のお申込みや資料のご請求に関するお問合せ専用ですので，書籍の正誤に関するご質問をいただいた場合，上記「2ご連絡方法」のフォームをご案内させていただきます。